KB076592

춘사변인석기념총서13

최적의 빅데이터 분석하기

# 기계학습을 위한 입력과 출력의 이해

Understanding Inputs and Outputs for Machine Learning

변혜원 지음

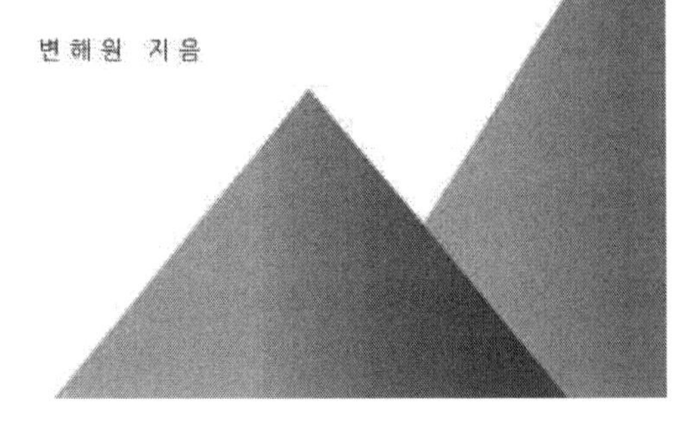

**변해원**

아주대학교 의과대학 예방의학교실에서 치매 고위험군 예측을 주제로 이학박사(DrSc)를 취득하였고, 현재 인제대학교 메디컬 빅데이터학과 / BK21 대학원 디지털 항노화헬스케어학과 교수 및 인제대학교 부속 보건의료 빅데이터 연구소 센터장으로 재직하고 있다. 2010년부터 2023년까지 International Psychogeriatrics 등 국내외 저명 학술지에 400여 편의 논문을 발표하였고, 파킨슨 치매 중등도 예측장치 등 100여 건의 지식재산(특허)을 발명하였다. 또한, 스위스 뇌과학회 학술대회, 일본 국제융합과학학술대회 등 다수의 국내외 학술상을 수상하였다. SCIE급 저널인 세계정신과학에서 편집위원으로 활동하고 있으며, 2019년부터는 한국연구재단에서 주관하는 일반인 대상 과학강연인 '토요과학강연회의 강연자로 참여하고 있다. 저서로는 「노년기 건강 습관과 치매」 등이 있다.

기계학습을 위한 입력과 출력의 이해

지은이 변해원 (인제대학교 교수 / 인제대학교 부속 보건의료 빅데이터 연구소 센터장)

**발 행** 2024년 03월 20일
**펴낸이** 한건희
**펴낸곳** ㈜ BOOKK
**출판사등록** 2014.07.15.(제2014-16호)
**주 소** 서울특별시 금천구 가산디지털1로 119 SK트윈타워 A동 305호
**전 화** 1670-8316
**이메일** info@bookk.co.kr

ISBN 979-11-410-7521-7

값 21,600원

www.bookk.co.kr

# 기계학습을 위한 입력과 출력의 이해

## Understanding Inputs and Outputs for Machine Learning

변해원 (인제대학교 교수 /
인제대학교 부속 보건의료 빅데이터 연구소 센터장)

BOOKK

## 차 례

## 들어가며

오늘날 우리 사회는 대량의 데이터에 접근할 수 있습니다. 따라서 데이터 과학자들이 빅 데이터를 성공적으로 분석하기 위해서는 아주 많은 특성(변수)들을 식별해야 합니다. 이러한 거대한 특성들은 매우 큰 차원으로 이루어져 있는데, 데이터 과학자들이 이 특성들을 식별하기 전까지 원시 데이터(Raw data) 그 자체는 의미를 가지지 않습니다. 결국, 데이터 과학자들은 높은 차원(고차원)의 데이터를 낮은 차원(저차원)으로 변환하여 더 효과적인 기계학습 모델을 개발하고 데이터 처리를 간소화해야 합니다.

여러분이 기계학습(머신러닝) 알고리즘을 사용해 저차원 데이터로 정확도 높은 모델을 빠르게 훈련하는 것은, 전통적인 통계 모델을 사용하는 것보다 훨씬 적은 노력과 시간이 듭니다. 실제 세계에서는 정보나 물건을 적절히 분류하기 위해 라벨을 붙이는 일이 자주 필요합니다. 금융 분야에서는 기계학습의 이점을 활용해 시장에서 전략적 우위를 차지하고 경쟁력을 유지하려 합니다. 이러한 가능성은 고성능 컴퓨터에서 실행 가능한 복잡한 모델을 점점 더 저렴한 비용으로 사용할 수 있게 되면서 생겨났습니다. 다시 말하자면, 이러한 기계학습의 이점은 거의 무한한 데이터 저장 용량 덕분에 가능해지며, 여러분들은 이제 기계학습을 이용하여 누구나 쉽게 분석할 수 있다는 것을 의미합니다. 현실(real world)에서는 일부 기계학습의 사용 사례가 이미 보고되었지만, 여전히 산업현장에서는 여러 가지 현장에서 맞이할 수 있는 도전을 극복해야만 실현할 수 있습니다.

이 책의 두 번째 장에서는 여러 중요한 부울(Boolean) 함수의 부분 집합을 정의합니다. 이것은 데이터의 알고리즘으로 지도학습(supervised learning)에 적용하기로 결정하면, 그 부분 집합은 학습 집합으로 사용되는 것을 의미합니다. 이 책에서 우리가 고민해야 할 또 다른 질문은 다양한 입력을 받아 해당 함수가 요구하는 출력을 내는 장치를 어떻게 가장 효율적으로 구현할 수 있는가입니다. 이 책을 통해서 우리는 비선형 구성 요소의 네트워크를 사용해 다양한 입력-출력 함수를 어떻게 구현하고, 이 네트워크를 지도 학습 기법으로 어떻게 훈련시킬 수 있는지를 살펴보겠습니다.

## 1.1 소개

구글, 페이스북, 트위터와 같은 소셜 미디어 웹사이트와 기술적 도구들, 그리고 센서들의 널리 퍼진 사용은 전 세계적으로 엄청난 양의 새로운 정보를 만들어내는 데 기여하고 있습니다. 이러한 데이터는 미래에 활용될 수 있도록 다양한 데이터베이스에 정리되어 저장됩니다. 센서는 물리적 환경으로부터 정보를 수집하여 컴퓨터로 전송하는 데 사용되며, 소셜 미디어 웹사이트는 사용자들이 시장 동향을 분석하고 결정을 내릴 수 있는 고급 플랫폼을 제공합니다. 매일 데이터 분석가와 데이터 과학자들은 데이터의 획득, 저장, 공유, 전송, 분석, 결과 표현 등 다양한 도전에 직면합니다.

이러한 모든 어려움을 극복하는 것은 쉽지 않음을 인지하면서, 저는 이 책을 집필하는 과정에서 데이터 필터링에 중점을 두기로 결정했습니다. 저는 필터링 과정이 가장 큰 장애가 될 것으로 예상하며, 주변 환경에서 발생하는 데이터를 분류하는 계획을 세웠습니다. 간단히 말해, 대량의 데이터가 있으며, 이 데이터는 거대한 특성들이 놀라울 정도의 차원으로 식별되기 전까지는 의미가 없습니다. 고차원 데이터를 저차원 데이터로 변환하여 더 효율적인 기계학습(ML) 모델을 개발하고 데이터 처리를 간소화해야 합니다.

저차원 데이터를 활용하여 고정확도의 모델을 신속하게 훈련시키는 것은 전통적인 방법보다 훨씬 적은 노력과 시간을 요구합니다. 현실 세계에서는 정보와 물건을 적절히 분류하기 위해 어떤 형태의 분류가 필요한 상황이 자주 발생합니다. 객체와 데이터가 올바른 라벨을 가지고 있는지 확인하는 것은 매우 중요한 작업입니다. 이 프로젝트의 주요 목표는 다양한 유형의 데이터에 대한 데이터 관련 행동을 조사하기 위한 단일 플랫폼을 제공하는 것입니다.

이질적 데이터는 텍스트, 이미지, 오디오 녹음, 비디오 녹음 등 여러 형식으로 저장된 정보를 의미합니다. 각각의 다른 네이터 세트는 고유한 특성 집합을 포함하고 있으며, 이 특성들은 제품을 다른 모든 객체와 구별할 수 있게 합니다. 제품의 특성이 많은 차원을 포함하고 있기 때문에, 데이터를 분석하고 매우 정확한 결과를 도출하는 것은 어렵습니다. 차원의 저주(커서 오브 디멘션, Curse of Dimensionality)를 피하기 위해, 고차원 데이터는 특성 선택(Feature Selection, FS) 접근법을 사용하여 저차원 표현으로 변환되어 분석에 사용됩니다. 이 책의 추가 목표는 래퍼(wrapper), 필터(filter), 임베디드(embedded) 시스템과 같은 FS 전략의 기능을 이해하는 것입니다. 다음 섹션에서는 특성의 총 수를 증가시키는 것이 분류기의 전반적인 성능에 미치는 영향에 대해 설명하겠습니다.

인류는 다양한 작업을 수행하는 과정을 용이하게 하기 위해 여러 도구를 사용해왔습니다. 이러한 도구들은 크기, 구성, 용도가 다양합니다. 인간의 창의력은 역사를 통틀어 다양한 기계를 개발하는 주요 동력이었습니다. 이러한 장치들은 여행, 산업 작업, 컴퓨터 사용 등 다양한 생활 요구를 충족시키며 인간의 삶을 더 쉽게 만들어줍니다. 예를 들어, 컴퓨터의 사용은 작업, 여행, 컴퓨터 사용과 같은 활동을 훨씬 더 간단하게 수행할 수 있게 해줍니다.

이 외에도 "기계학습(ML)"이라는 기술이 있습니다. 기계학습은 컴퓨터가 특별한 지시 없이도 학습할 수 있는 능력을 제공하는 연구 분야입니다. 이는 Arthur Samuel에 의해 설명된 분야로, 체커즈 게임에서의 성공을 통해 소프트웨어 산업에서의 발전을 가속화했습니다. 기계학습은 데이터 처리를 가장 효과적인 방법으로 수행하도록 컴퓨터를 교육하는 기술입니다. 때로는 데이터를 분석하거나 내부에 포함된 정보를 추출할 수 없는 경우가 있습니다. 이러한 도전적인 상황에 직면했을 때 우리는 기계학습에 의존합니다. 이 발전은 데이터 세트의 증가와 컴퓨터 지원 학습의 필요성 증가로 인해 발생했습니다.

세계 곳곳의 다양한 비즈니스들은 자신들의 데이터에서 활용할 수 있는 통찰력을 얻기 위해 기계학습을 사용하고 있습니니다. 기계학습의 목표는 컴퓨터가 기존 데이터에서 관찰하고 지식을 얻을 수 있도록 하는 것입니다. 로봇에게 스스로 교육할 수 있는 능력을 부여하기 위해 방대한 데이터 세트를 조사하는 것은 많은 연구가 진행되고 있는 중요한 도전입니다. 데이터 문제에 대처하기 위해 기계학습은 다양한 알고리즘적 접근 방식과 방법론을 사용합니다. 데이터 과학자들은 하나의 알고리즘으로 모든 문제를 해결할 수 있는 완벽한 기술은 없다고 강조합니다. 문제의 종류, 관련된 변수의 수, 가장 적합한 모델의 종류 등은 모두 사용해야 하는 알고리즘의 유형을 결정하는 데 기여합니다. 이 글에서는 기계학습에서 일반적으로 사용되는 몇 가지 알고리즘에 대해 간략히 살펴보겠습니다.

## 1.2 지도 학습

기계학습 분야에서 입력 데이터를 출력 결과에 매핑하는 함수를 학습하는 과정을 지도 학습(Supervised Learning)이라고 합니다. 이 학습 방식은 입력과 출력의 예제 쌍을 분석함으로써 진행됩니다. 지도 학습을 수행하기 위해서는 레이블이 지정된 훈련 데이터 세트에서 함수를 유추해야 합니다. 이 데이터 세트는 다양한 훈련 예제로 구성됩니다. 지도 학습 알고리즘은 검증을 위해 외부 검증이 필요한 다양한 기법을 포함합니다. 입력 데이터 세트는 훈련 데이터 세트와 테스트 데이터 세트 생성의 기반으로 활용됩니다. 훈련 데이터 세트에는 분류나 예측에 활용될 수 있는 변수들이 포함됩니다.

각 알고리즘은 훈련 데이터 세트에서 패턴을 식별한 후, 이를 바탕으로 테스트 데이터 세트에 대한 예측이나 분류를 수행합니다. 이 과정은 각 알고리즘마다 반복됩니다. 지도 학습 프로세스의 각 단계는 아래와 같이 구분됩니다. 이 섹션은 지도 학습 알고리즘의 대부분을 다루며, 이 분야에서 가장 포괄적인 개요 중 하나를 제공합니다.

기계학습과 인공 지능(AI)은 우리 일상에 깊숙이 통합되어 연구 대상을 넘어서 우리가 직면한 문제를 해결하는 도구가 되었습니다. 처리 속도의 기하급수적 증가와 고도화된 알고리즘 덕분에 기업들은 방대한 데이터를 활용해 상당한 상업적 가치를 창출하는 솔루션을 구현할 수 있게 되었습니다.

금융 서비스, 은행, 보험 등의 분야는 기계학습과 AI의 혜택을 극대화할 수 있는 주요 산업입니다. 이들 산업은 고객 세분화, 신제품 타겟 마케팅, 최적 포트폴리오 전략 설계, 금융 시장의 자금 세탁 및 불법 활동 탐지 및 예방, 신용 리스크 관리, 재무 및 회계 규제 준수 등 다양한 응용 프로그램에서 기계학습의 혁신을 활용하고 있습니다.

그러나 많은 기업들이 아직까지 심층 신경망(Deep Neural Networks)과 강화 학습(Reinforcement Learning)과 같은 발전된 기술의 표면만 긁어보았을 뿐, 이러한 기술의 응용 가능성은 아직 대부분 미개척 상태입니다. 기계학습과 AI의 잠재력은 아직 충분히 탐색되지 않았으며, 이 분야의 전문가를 고용하는 것은 제품과 서비스 시장에서 경쟁 우위를 확보하고 유지하기 위해 필수적입니다.

금융 분야에서 AI와 기계학습 모델의 채택이 느린 주된 이유

중 하나는 알고리즘에 대한 이해 부족과 신뢰 결핍 때문입니다. "블랙 박스"로 여겨지는 이러한 모델과 프레임워크의 내부 작업을 분석하는 것이 어려워, 이들의 신속한 수용과 배포를 저해합니다. 이 장은 금융 서비스 분야에서 기계학습과 AI 기반 모델 및 애플리케이션을 통합할 때 직면하는 주요 도전 과제에 초점을 맞춥니다.

은행, 중개업체, 보험 회사와 같은 금융 기관은 기계학습과 AI를 비즈니스에 통합하려는 노력의 일환으로, 이 장은 금융 모델링을 위한 새로운 위험, 기회, 혁신적 전략을 탐색합니다.

## 1.3 경제에서 머신러닝의 적용

금융 부문은 머신러닝의 혜택을 활용하여 시장에서 전략적 우위를 확보하고 경쟁력을 유지하려 합니다. 고성능 컴퓨터에서 복잡한 모델을 실행할 수 있게 되고, 그 비용이 점차 저렴해지면서, 정교한 모델 사용이 가능해졌습니다. 이러한 혜택은 거의 무한한 데이터 저장 용량 덕분에 가능해졌으며, 이 데이터는 쉽게 접근할 수 있습니다. 현실 세계에서 일부 사용 사례는 이미 구현되었지만, 남은 사용 사례를 실현하기 위해서는 기존의 상업적 및 운영적 도전을 극복해야 합니다.

다음은 이 노력에서 활용될 수 있는 몇 가지 소프트웨어 프로그램의 목록입니다:

- 리스크 모델링: 리스크 모델링 및 분석은 머신러닝 모델 및 알고리즘의 주요 사용 사례 중 하나입니다. 신용 및 시장 리스크 모델링은 머신러닝의 중요한 응용 분야이며, 운영 리스크 관리, 규정 준수 관리 및 사기 관리도 중요합니다. 이 분야에서는 이진 로지스틱 회귀, 다항 로지스틱 회귀, 선형 및 이차판별 분석, 의사 결정 트리 등의 머신러닝 분류 전략 및 모델링 기법이 핵심적입니다.

데이터의 접근성과 포함된 정보의 깊이는 데이터 과학의 응용 사례에서 중요한 측면입니다. 머신러닝 모델은 이미 신용 리스크 모델링 및 점수 산정과 같은 데이터 풍부한 응용 프로그램에서 큰 진전을 이루었습니다.

- 포트폴리오 관리: 포트폴리오 구성은 수익률 및 위험 수준을 최적화하기 위해 설계된 복잡한 알고리즘을 따릅니다. 사용자는 은퇴 연령, 투자 금액, 현재 나이 및 자산 등 다양한 개인 정보를 제공합니다. 이 정보는 알고리즘에 의해 사용되어 포트폴리오의 수익률 및 관련 위험을 최적화하기 위한 다양한 자산 클래스에 대한 투자를 결정합니다. 로보 어드바이저는 유연성과 최적화 능력 덕분에 점점 더 많이 사용되고 있습니다.

- 알고리즘 트레이딩: 컴퓨터 소프트웨어 알고리즘이 인간 트레이더의 제한된 개입으로 자동적으로 주식 거래를 수행하는 방식입니다. 이 방식은 1970년대부터 시작되어, 프리프로그래밍된 자동 주식 거래 지침을 사용하여 거래 목표를 달성하고 수익을 극대화합니다.

머신러닝은 실시간으로 고빈도, 대량 거래 선택을 조정하는 과정에서 점점 더 중요한 역할을 하고 있습니다. 이는 머신러닝이 이러한 작업을 인간보다 훨씬 빠르게 수행할 수 있기 때문입니다. 금융 산업에서 머신러닝의 응용은 사기 분석과 같은 분야에서도 중요한 역할을 합니다. 인터넷에서 사기 행위를 분석하고 발견하는 시스템은 머신러닝 알고리즘의 실행에 중점을 두어 감지 프로세스를 더 견고하고 기민하게 만듭니다.

기계학습의 접근법은 리스크 관리와 같은 분야에서 혁명적인 변화를 일으키고 있으며, 이는 금융 기관이 고객에게 얼마나 많은 돈을 대출해야 하는지 결정하는 것부터 모델과 관련된 위험을 최소화하는 방법을 찾는 기술 준수를 높이는 방법까지 다양한 응용 분야에서 나타납니다.

## 1.4 금융 분야에서의 컴퓨팅 신흥 패러다임

금융 분야의 모델러와 엔지니어는 이제 기계학습, 데이터 과학, 인공 지능(AI) 분야에서 새롭게 등장하는 다양한 기술, 방법론 및 프레임워크를 활용할 수 있습니다. 이러한 신흥 패러다임에는 가상 에이전트, 로봇 공학, 텍스트 분석, 컴퓨터 비전 등이 포함됩니다.

**가상 에이전트:** AI의 발전으로, 가상 에이전트의 활용이 증가할 것으로 예상됩니다. 이러한 에이전트는 복잡한 데이터 분석 작업을 자동으로 수행하고, 고객 질문에 실시간으로 해결책을 제공할 수 있습니다. 인지 로봇학의 발전은 특정 작업을 자동화하고, 프로세스의 효율성과 정확성을 향상시킬 것입니다.

**텍스트 분석:** 복잡한 금융 계약 및 문서 분석을 위해 고급 자연어 처리(NLP) 안고리즘과 모델을 활용합니다. 이는 빅 네

이터 분석의 일환으로, 처리 속도와 의사 결정의 정확도를 향상시키며 관련 리스크를 최소화합니다.

**컴퓨터 비전 및 음성 인식:** 최신 발전은 자동화된 금융 보고서 생성, 준수 및 감사 프로세스, 모델 유효성 검증 등 다양한 금융 응용 프로그램에서의 활용 가능성을 열어줍니다.

## 1.5 모델링 기술의 신흥 트렌드

금융 산업에서 기계학습 모델의 중요성이 증가함에 따라, 희소성 인식 학습, 커널 힐버트 공간(RKHS), 몬테카를로 시뮬레이션, 그래프 이론 등의 모델링 기술이 더 많은 주목을 받고 있습니다.

**희소성 인식 학습:** 모델 정규화의 대안으로, 오버피팅을 방지하며 모델 매개변수 추정의 정확성을 높이는 데 중점을 둡니다. 금융 모델링에서 이 알고리즘은 높은 정확도와 견고성을 제공합니다.

**커널 힐버트 공간(RKHS):** 연속 함수를 평가하는 Hilbert 공간 내의 함수로, 금융 부문의 리스크 모델링과 평가에 상당한 잠재력을 가지고 있습니다.

**몬테카를로 시뮬레이션:** 다양한 결과와 그 결과의 확률을 모델링하여 보다 정보에 기반한 결정을 내릴 수 있게 합니다. 이는 리스크 분석에 효과적인 확률적 모델링 방법입니다.

그래프 이론: 다변량 금융 데이터의 복잡성을 처리하고 표현하는 데 유용한 수학적 도구입니다. 이는 데이터의 본질적인 복잡성을 관리하고 이해하기 쉬운 솔루션을 제공합니다.

**딥 러닝 및 강화 학습:** 이 두 하위 분야는 알고리즘 트레이딩, 자본 자산 가격 책정, 주가 예측, 포트폴리오 관리 등 다양한 금융 응용 프로그램을 설계하고 실행하는 데 유용한 도구입니다. 이러한 프레임워크는 효과적이고 효율적인 개발과 실행을 가능하게 합니다.

이러한 신흥 패러다임과 기술 트렌드는 금융 분야에서의 컴퓨팅과 모델링 접근 방식에 혁신적인 변화를 가져오고 있으며, 이는 산업의 미래 방향을 형성하는 데 중요한 역할을 할 것입니다.

### 1.6 금융 모델링의 새로운 도전들

머신러닝과 인공 지능(AI) 기반 응용 프로그램이 제공하는 많은 기회와 이점들에도 불구하고, 금융 산업은 몇 가지 도전과 장애물에 직면하게 될 것입니다. 이러한 어려움은 일시적일 수 있지만, 그럼에도 불구하고 주목해야 할 문제들입니다. 다음 부분에서는 이러한 도전들 중 일부를 자세히 설명하겠습니다.

**데이터 문제:** 금융 분야는 방대한 데이터를 보유하고 있음에도 불구하고, 특히 시계열 데이터(예: 주식 가격)는 그 크기가 작아서 머신러닝과 딥 러닝 모델을 훈련시키기 어렵게 만듭니다. 시계열 데이터의 양이 적으면, 모델의 훈련이 부족하거나 생성

된 모델의 성능이 기대에 미치지 못할 가능성이 높습니다.

**금융 데이터의 한계:** 컴퓨터 비전과 이미지 처리 분야에서는 가능한 금융 데이터 합성화와 달리, 금융 분야는 이를 실현하는데 어려움을 겪고 있습니다. 이는 금융 분석가들이 시장 동향을 분석하고 예측하는 데 큰 도전을 안게 만듭니다. 실제 세계에서 생성된 데이터를 사용하기 전까지 모델을 훈련하거나 검증할 수 없다는 사실이 이 문제를 더 복잡하게 만듭니다.

**높은 노이즈(불필요한 데이터) 수준:** 높은 주파수의 금융 데이터는 종종 상당한 노이즈(의미 없는 데이터) 수준을 동반합니다. 이러한 높은 노이즈 수준의 데이터로 훈련된 모델은 정확도에 기본적인 결함을 가질 수 있으며, 이는 더 높은 변동성과 관련된 문제로 이어집니다.

**데이터의 지속적 변화:** 금융 데이터는 금융 시장의 변화와 함께 지속적으로 변화합니다. 이는 금융 변수의 의미가 지속적으로 변한다는 사실로 인해 머신러닝 모델이 일관된 예측을 생성하고 학습하기 어렵게 만듭니다.

**'블랙 박스' 문제:** 머신러닝 및 AI 모델은 종종 그 작동 원리가 불투명하다고 여겨져, 이들이 제공하는 예측이나 결과에 대한 신뢰성을 떨어뜨립니다. 모델이 그 결과에 대해 충분한 설명을 제공하지 못한다면, 금융 분야에서 중요한 응용 프로그램에 대한 신뢰를 구축하기 어렵습니다.

**모델 타당성과 리스크 관리:** 기계학습 모델의 증가하는 복잡성과 운영의 불명확성은 리스크 관리와 모델의 유효성 검증에 상당한 도전을 제시합니다. 감독 기관의 규정을 준수한다 하더라도, 모델이 전체 잠재력을 실현하기 어렵다는 점은 주목할 만한 문제입니다.

**모델 리스크:** 모델이 의도한 목적에 맞게 구성되었음에도 불구하고, 실행 중 결함으로 인해 잘못된 결과를 생성할 수 있습니다. 이는 조직에 시간과 자원의 낭비를 초래하며, 부정확

한 결과로 이어질 수 있습니다.

이러한 도전들은 금융 모델링 분야에서 극복해야 할 중요한 장애물들입니다. 이를 해결하기 위해 연구자와 개발자들은 지속적으로 새로운 방법과 기술을 모색하고 있습니다.

여러분들은 모델 테스트와 결과 평가 과정에서 다음과 같은 잠재적인 문제들을 주의 깊게 고려해야 합니다. 모델 평가 팀은 훈련 및 검증 과정에서 발생할 수 있는 편향과 분산의 균형을 잘 조절하는 것이 중요합니다. 신경망 모델 같은 경우, 데이터에 과적합(오버피팅)되거나 과소적합(언더피팅)되는 경향이 있을 수 있기 때문입니다. 모델이 얼마나 효과적인지를 평가할 때는, 결과의 정확성과 모델 테스트의 정확도를 모두 고려해야 합니다. 특히, 기계학습 모델의 유효성 검증에 있어 전통적인 k-겹 교차 검증(k-fold cross-validation) 방식이 항상 효과적이지 않을 수 있으므로, 모델 훈련과 검증을 시작하기 전에 정규화와 특성 선택에 특별히 주의를 기울여야 합니다.

모델이 실제 운영 환경으로 넘어가기 전에, 검증 손실과 정확도를 주의 깊게 모니터링하고 검토하여 과적합이나 과소적합 문제가 발생하지 않도록 해야 합니다. 이 과정을 통해 모델의 효과적인 사용이 보장됩니다. 뉴럴 네트워크 모델의 경우, 감도 분석을 수행하는 것은 복잡한 도전을 수반하며, 이는 모델의 복잡성 때문에 어려움을 겪을 수 있습니다. 특히, 뉴럴 네트워크에서는 설명 변수와 목표 변수 사이의 관계를 정립하는 것이 복잡하여, 입력과 출력 간의 감도 분석이 계산적으로 어려우며 결과적으로 복잡할 수 있습니다.

공급 업체로부터 제공된 모델은 내부에서 생성된 모델과 마찬가지로 엄격한 요구 사항을 충족해야 합니다. 이는 SR 11-7 및 OCC 2011-2012 표준에 명시되어 있습니다. 그러나, 모델의 소유권 문제로 인해 실제 상황에서 이러한 모델을 평가하는 것이 어려울 수 있으며, 이는 금융 기관이 불리한 입장에 처하게 만들 수 있습니다. 따라서, 금융 기관은 공급 업체로부터 제공된 모델을 검증할 때 더 유연한 검증 방법을 사용해야 할 필요가 있습니다. 이는 모델의 성능과 개념적 타당성을 주기적으로 평가하고, 모델의 적합성을 엄격하게 검토하며, 모델이 금융 기관의 포트폴리오에 얼마나 적합한지를 조사하는 것을 포함합니다.

기계학습 모델의 복잡성은 모델이 제시하는 리스크 수준에 기여하는 주요 요소 중 하나입니다. 기계학습 알고리즘은 방대한 양의 비정형 데이터를 처리하도록 설계되어 있어 복잡성이 자연스럽게 높아집니다. 이로 인해 모델을 훈련시키고 운영하기 위해서는 높은 수준의 전문 지식과 복잡한 컴퓨팅 인프라가 필요합니다. 그러나 너무 복잡한 모델을 구축하는 것은 반드시 생산적인 방법은 아닙니다. 간단한 모델 검증 기술을 활용하여 금융 기관은 관련된 위험을 더 잘 관리할 수 있으며, 이는 더 나은 리스크 관리를 가능하게 합니다.

모델의 해석 가능성, 편향, 포괄적인 특성 공학, 하이퍼파라미터의 중요성, 프로덕션 준비성, 동적 보정, 설명 가능한 AI 등은 금융 산업에서 기계학습 모델의 리스크 관리를 지배하는 중요한 이슈들입니다. 모델 해석 가능성은 특히 중요한데, 모든 기계학습 모델이 본질적으로 '블랙 박스'이므로, 모델로부터 요구되는 해석 가능성의 수준은 사용 사례와 관련된 리스크 수준에 따라 달라져야 합니다. 예를 들어, 고객에게 대출을 제공하거나 거부하는 과정에서 명확한 설명이 필요한 경우, 모델은 이러한 결정의 이유를 명확하게 제공할 수 있어야 합니다. 반면, 상대적으로 위험이 낮은 사용 사례에서는 모델이 추천이나 결정을 생성한 이유에 대한 깊은 이해가 필요하지 않을 수 있습니다.

이 유형의 사용 사례 중 하나로, 고객의 휴대폰에 설치된 모바일 애플리케이션을 통해 제품을 추천하는 경우를 들 수 있습니다. 모바일 애플리케이션을 통해 고객의 휴대폰에 제품을 제안하는 것은 이러한 사용 사례의 일환입니다. 고객의 휴대폰에는 모바일 애플리케이션이 설치되어 있습니다. 모델을 검증하는 과정은 해당 모델이 처음 구축된 목적과 목표를 충족하는지 확인하기 위한 테스트를 포함해야 합니다. 이는 모델의 신뢰성을 보장하기 위해 필수적입니다. 기계학습 모델이 본질적으로 블랙 박스(black box)이긴 하지만, 이러한 모델은 종종 모델 결과를 이해하는 데 도움이 되는 다양한 기능을 제공합니다. 다음 섹션에서 볼 수 있듯이, 이러한 프로세스의 구체적인 내용은 사용되는 모델의 종류에 따라 상이하므로 유연한 사고가 중요합니다.

선형 회귀(linear regression)와 같은 모델을 사용할 경우, 설명 변수(explanatory variable)와 관련된 계수(coefficient)는 해당 모델에서 목표 변수(target variable)에 미치는 영향을 나타냅니다. 이는 계수가 목표 변수에 어떠한 영향을 미치는지 검토함으로써 이루어질 수 있습니다. AdaBoost와 그라디언트 부스팅(Gradient Boosting)과 같은 앙상블 모델(ensemble models)은 비선형적이지만 단조적인(monotonic) 행동을 보입니다. 이러한 특성은 이 모델들을 다른 유형의 모델과 구별합니다. 단조적인 모델에서는 설명 변수의 값이 제한될 때 목표 변수의 값이 증가하거나 감소할 수 있으며, 제한이 설명 변수에 적용되는 방향에 따라 목표 변수의 값이 증가하거나 감소합니다.

즉, 설명 변수에 대한 제한이 적용되는 방향은 제한의 방향에 따라 목표 변수의 값이 결정되며, 이는 모델이 단조적이기 때문에 모델이 목표 변수에 대해 예측하는 값을 설명 변수의 기여도를 더 직관적으로 이해할 수 있게 합니다. 이는 단조성 덕분에 모델이 정확한 예측을 할 수 있게 만들어줍니다. 복잡한 딥 뉴럴 네트워크(deep neural network) 기반 모델의 전역 및 지역 해석 가능성을 보장하기 위해 Shapley Additive Explanations(SHAP) 및 Local Interpretable Model-Agnostic Explanations(LIME)과 같은 관련 방법들이 사용됩니다. 이러한 모델은 비선형적일 뿐만 아니라 시작부터 끝까지 일정한 경로를 따르지 않기 때문에 일반적이지 않습니다.

**모델의 결함:** 기계학습을 사용하여 개발된 모델에 영향을 미칠 수 있는 네 가지 주요 유형의 편향이 있습니다. 금융 부문에서 신선한 데이터 수집은 극복해야 할 네 번째 장애입니다. 대부분의 다른 산업에서 데이터의 특성은 시간이 지나도 변

하지 않지만, 금융 데이터의 특성은 금융 시장의 변화와 함께 발전하고 변화하기 때문에 지속적으로 변합니다. 이는 다른 산업에서 볼 수 있는 데이터와 대조됩니다.

이는 금융 요인의 중요성이 상당한 기간, 예를 들어 열 년 정도 동안 변할 것이며, 이 변화가 영구적이지 않을 것임을 의미합니다. 금융 변수의 의미와 관련성이 지속적으로 변하기 때문에, 기계학습 모델이 충분히 오랜 시간 동안 일관된 설명을 생성하고 학습하기가 특히 어려울 수 있습니다.

이로 인해 모델이 합리적인 기간 동안 학습하는 것이 어려워집니다. 이러한 상황으로 인해 기계학습 모델에는 상당한 어려움이 있습니다. 이러한 모델은 폐쇄된 시스템이기 때문에 기계학습과 인공 지능을 사용하여 구축된 모델이 신비한 블랙 박스로 간주됩니다. 이러한 모델이 시뮬레이션 결과에 대한 적절한 설명을 제공하지 못하는 것이 가장 중요한 한계입니다. 결과의 해석을 위한 강력한 논리적 지원의 개발이 필요하며, 이는 의사 결정자들에게 충분한 자신감을 심어줄 수 있습니다.

머신러닝 모델이 설명 가능한 특성을 가지지 않기 때문에, 해당 모델의 중요한 비즈니스 사용 사례에서의 적합성을 촉진하는 것은 항상 어려운 도전이 될 것입니다. 이 도전은 미래에도 계속될 것입니다. 특히, 단순한 머신러닝 모델은 설명 가능한 특성을 갖지 않기 때문에, 설명 가능한 인공지능을 개발하는 지속적으로 현장에서 해결해야 할 과제가 될 것입니다. 이는 이러한 설명 가능한 특성이 부족할 때 해당 모델을 비즈니스 사용 사례에 단순하게 적용하는 것이 향후에는 더 어려워질 수 있기 때문입니다. 따라서, 최근의 머신러닝 트랜드에서는 설명 가능한 기법을 추가하는 것이 데이터 사이언스에서 점점 더 중요해지고 있습니다.

규제 기관은 머신러닝 모델이 SR 11-7 및 OCC 2011-2012에서 제시된 리스크 관리 기준을 충족하도록 요구합니다. 그러나 실제로 이러한 모델을 구현하는 것은 상당한 어렵습니다. 모델 리스크란 모델이 의도한 목적에 맞게 설계되었음에도 불구하고, 실행 중에 결함이 도입되어 설계 및 비즈니스 사용 사례 관점에서 잘못된 결과를 생성하는 사건을 의미합니다. 이러한 잠재적으로 부정확한 결과는 조직에 문제를 일으킬 수 있으며, 모델이 잘못 구성되거나 결함이 있는 상태로 사용될 경우, 해당 모델의 한계와 약점에 대한 충분한 정보가 없기 때문에 실제 세계에서 모델 리스크가 발생할 수 있습니다.

예측 모델의 백테스팅에는 일반적으로 전통적인 k-교차 검증 접근법이 사용됩니다. 예측 모델이 생산 단계로 진행되기 전에 연구자들은 검증 손실과 정확도가 과적합 또는 과소적합의 문제가 없도록 주의 깊게 모니터링을 합니다. 이 때, 신경망 모델을 통한 감도 평가는 그들의 복잡성 때문에 설명 가능성 측면에서 연구자들이 이해하기 어려울 수 있습니다. 왜냐하면, 신경망 모델에서 설명 변수와 목표 변수 간의 기능적 관계를 위해서 입력과 출력 간의 감도 분석을 계산하기 사실상 어렵기 때문입니다.

SR 11-7 및 OCC 2011-2012 표준은 공급 업체에서 제공하는 모델이 내부에서 생성된 모델과 동일한 엄격한 요구 사항을 충족해야 한다고 명시합니다. 그러나 모델의 속성 특성으로 인해 공급 업체가 제공하는 모델을 다양한 실제 상황에서 평가하는 것은 제한적인 경계 내에서 어려울 수 있습니다. 이는 은행 및 유사한 기관들이 공급 업체가 제공한 모델을 유효화할 때, 유연성이 더 큰 검증 형태에 크게 의존해야 함을 의미합니다. 유효화 기술에는 주기적인 모델 성능 및 개념적 타당성 평가, 모델 사용자의 엄격한 평가, 개발 프로세스 검토 및 모델이 은행의 영업 포트폴리오에 적용 가능성을 조사하는 것이 포함될 수 있습니다.

머신러닝 모델의 복잡성은 산업 전반에 걸쳐, 특히 금융 산업을 포함하여 모델이 내재하는 리스크 수준에 중대한 영향을 미칩니다. 복잡성이 높은 모델은 정확성과 신뢰성을 높일 수 있지만, 동시에 이해와 해석의 어려움을 증가시킵니다. 머신러닝 알고리즘은 대량의 데이터(텍스트, 이미지, 오디오 등)를 처리하도록 설계되었기 때문에, 이들이 처리하는 데이터의 복잡성은 알고리즘의 이해를 더욱 어렵게 만듭니다. 따라서, 이러한 알고리즘을 교육하는 과정은 전문 지식과 경험뿐만 아니라, 포괄적인 컴퓨터 인프라의 활용을 필요로 합니다.

은행 및 기타 금융 기관은 기본적인 모델 검증 절차를 적용함으로써 관련된 기업 및 운영 리스크를 더 잘 이해하고 관리할 수 있습니다. 이는 복잡한 전략을 채택하는 것보다 바람직한 접근 방식일 수 있습니다. 모델의 해석 가능성, 모델 편향, 포괄적인 특성 공학, 모델 하이퍼파라미터의 중요성, 모델의 프로덕션 준비 상태, 모델의 동적 조정 및 설명 가능한 인공 지능(XAI)은 금융 산업에서 머신러닝 모델의 리스크 관리를 경험하는 주요 이슈입니다.

모델의 해석 가능성은 특히 중요한데, 모든 머신러닝 모델이 본질적으로 블랙 박스로 작동하기 때문에, 모델에 요구되는 해석 가능성 수준은 평가되는 사용 사례와 관련된 리스크 수준에 따라 결정되어야 합니다. 특정 사용 사례에 대해 모델의 작동 방식을 매우 명확하게 설명해야 할 필요가 있을 수도 있지만, 다른 사용 사례에 대해서는 요구 사항이 덜 엄격할 수 있습니다. 예를 들어, 은행이 고객에게 대출을 제공하는 과정에서, 모델이 대출 거부 결정에 대한 명확한 설명을 제공해야 할 필요가 있습니다.

반면, 은행의 운영에 미치는 리스크가 적은 다른 사용 사례에서는, 모델이 특정 제품 추천을 생성한 이유를 이해할 필요가 없을 수 있습니다. 예를 들어, 고객의 휴대폰에 설치된 모바일 앱을 통해 제품을 제안하는 경우가 이에 해당합니다.

모델을 검증하는 과정은 모델이 처음 구축된 목적과 목표와 일치하는지 확인하기 위한 테스트를 포함해야 합니다. 이는 모델의 신뢰성을 보장하기 위해 필수적입니다. 머신러닝 모델이 본질적으로 블랙 박스일지라도, 이러한 모델은 종종 모델 결과를 이해하는 데 도움이 되는 다양한 기능과 함께 제공됩니다. 이러한 프로세스의 세부 사항은 사용되는 모델의 유형에 따라 다를 수 있으므로, 유연한 접근 방식을 유지하는 것이 중요합니다. 선형 회귀와 같은 모델에서는 계수가 설명 변수가 목표 변수에 미치는 영향을 나타내며, 아다 부스팅 및 그래디언트 부스팅과 같은 앙상블 모델은 비선형이면서도 단조적인 행동을 보입니다.

이러한 모델의 단조성은 설명 변수의 변화가 목표 변수에 미치는 영향을 직관적으로 이해할 수 있게 해, 다른 유형의 모델과 구별되는 특징입니다. 예를 들어, 설명 변수에 적용된 제한에 따라 목표 변수의 값이 증가하거나 감소할 수 있습니다. 이는 모델이 단조적인 성질을 가지고 있기 때문에, 설명 변수의 변화가 목표 변수 예측에 어떻게 기여하는지를 보다 명확하게 설명할 수 있습니다.

복잡한 심층 신경망 기반 모델의 해석 가능성을 향상시키기 위해, Shapley additive explanations(SHAP) 및 local interpretable model-agnostic explanations(LIME)과 같은 방법이 활용됩니다. 이러한 모델은 비선형적이며, 고정된 경로를 따라 작동하지 않습니다.

**모델의 불완전성:** 기계학습 모델 개발 과정에서 발생할 수 있는 주요 편향 유형 중 하나는 알고리즘에 의한 편향입니다.

예를 들어, 랜덤 포레스트 모델을 구축할 때, 알고리즘은 다양한 응답을 제공하는 입력 특성을 선호할 수 있습니다. 이는 특정 범주 내에서 더 많은 수준을 가진 특성이 내재된 편향을 가질 가능성이 있음을 의미합니다. 이러한 편향을 해결하기 위해, 유효성 검증 절차는 특정 상황에 가장 적합한 알고리즘을 선택하는 데 중요합니다.

은행 및 금융 기관이 모든 이해관계자에게 공정한 규칙을 적용하려고 할 때, 특정 그룹에 대한 편향을 줄이거나 없앨 수 있습니다. 모델을 다양한 시나리오에서 검증하는 것은 필수적이며, 예상치 못한 결과를 제공하는 경우 적절한 조정이 필요합니다.

기계학습 및 딥 러닝 모델에서의 피처 엔지니어링은 전통적인 통계 모델보다 훨씬 복잡합니다. 이는 머신러닝 모델이 더 발전된 기술을 사용하고, 많은 수의 입력 변수와 구조화되지 않은 데이터를 통합하기 때문입니다. AutoML과 같은 상용 모델링 프레임워크의 사용도 특성 수의 증가에 기여합니다.

이러한 복잡성에도 불구하고, 모델의 해석 가능성과 정확성을 보장하기 위한 노력은 중요합니다. 모델이 제공하는 해석 가능성 수준은 사용 사례와 관련된 리스크 수준에 따라 달라져야 하며, 모델이 예측하는 결과에 대한 명확한 설명을 제공할 수 있어야 합니다. 이는 특히 금융 산업에서 중요한데, 고객에게 제공되는 서비스의 공정성과 투명성을 보장하기 위함입니다.

이러한 프레임워크는 모델을 데이터에 더 잘 맞추기 위해 원시 데이터에서 파생된 특성을 자동으로 구성합니다. 이 과정은 모델의 예측 정확도를 극대화하려는 목적으로 수행되지만, 실제 응용 프로그램에서 모델의 과적합을 유발할 가능성이 높습니다. 따라서 금융 기관은 운영 및 상업적 위험을 줄이기 위해 신뢰할 수 있는 피처 엔지니어링 계획을 수립해야 합니다. 응용 프로그램의 종류에 따라 특성 통합 방법이 달라질 것입니다. 예를 들어, 대출 상환 능력 평가와 같이 높은 위험 수준이 관련된 응용 프로그램에서는 모델의 각 구성 요소를 철저히 평가해야 합니다.

낮은 위험 수준을 포함하는 일반적인 응용 프로그램에서는 피처 엔지니어링 프로세스에 엄격한 데이터 정리 단계를 포함해야 합니다. 이는 관련된 위험 수준이 일반적으로 낮기 때문입니다. 모델 하이퍼파라미터는 모델 자체의 매개변수와 별개로, 모든 기계학습 알고리즘이 갖는 고유한 매개변수 세트입니다. 예를 들어, 딥 러닝 모델의 은닉층 수나 랜덤 포레스트의 결정 트리 수와 같은 구조적 요소를 사전에 지정해야 합니다.

하이퍼파라미터의 최적값을 찾는 일반적인 방법에는 시행착오, 그리드 서치와 같은 무차별 대입 검색 전략이 포함됩니다. 이 과정은 하이퍼파라미터의 부정확한 선택으로 인해 데이터를 정확하게 대표하지 못하는 모델이 개발될 수 있으므로 매우 중요합니다.

최근에는 금융 기관이 고객 불만을 분석하기 위해 복잡한 이진 분류 모델에 점점 더 의존하고 있습니다. 이러한 모델은 주로 서포트 벡터 머신을 사용하여 구축되며, 텍스트 분석이 가능합니다. 그러나 모델이 사용된 커널에 민감하기 때문에 다양한 응용 프로그램에 일반화하기 어려울 수 있습니다.

기계학습 모델은 대부분 데이터 처리량이 많은 학습 알고리즘을 사용하여 구축됩니다. 반면, 통계 모델은 생산 시스템에서 실행될 수 있도록 설계된 규칙과 알고리즘을 기반으로 합니다. 이 모델은 역사적 데이터를 바탕으로 결과를 예측하는데 사용됩니다. 그러나 금융 모델을 개발하는 과정에서 종종이 중요한 요소를 간과하는 경우가 많으며, 이로 인해 은행이 처리할 수 없는 복잡성을 가진 모델이 설계되는 문제가 발생합니다.

금융 모델 개발 과정에서 중요한 특성을 간과하지 않도록 주의하는 것은 모델의 효율성을 보장하는 한 방법입니다. 예를 들어, 사기 거래를 식별하기 위해 개발된 고도로 정교한 딥러닝 모델이 시간 제약을 충족시키지 못해 적시에 반응하지 못하는 경우가 있습니다. 이러한 모델은 복잡성 때문에 목표를 달성하지 못할 수 있습니다. 따라서, 모델 검증 단계에서는 모델이 실제 환경에서 처리해야 할 데이터의 양을 정확히 평가하여 모델이 실제 상황에 적합한지 확인해야 합니다.

모델을 동적으로 조정하는 방법에는 데이터에서 발견되는 반복 패턴을 기반으로 매개변수를 실시간으로 조정할 수 있는 적응형 모델이 포함됩니다. 예를 들어, 강화 학습을 통해 개발된 모델은 스스로 학습할 수 있는 능력이 있지만, 이는 새로운 유형의 위험을 수반합니다. 특히, 모델이 단기적인 데이터 패턴에 지나치게 의존하게 되면 장기적인 성능에 부정적인 영향을 미칠 수 있습니다.

이러한 도전을 극복하기 위해, 모델을 동적으로 재조정하는 과정은 알고리즘 트레이딩, 신용 평가 등 다양한 목적에 맞게 조정되어야 합니다. 모델러는 이 과정에서 동적 재조정을 평가하기 위한 기준을 정립하고, 모델이 목표를 달성하면서 발생할 수 있는 위험을 효과적으로 관리할 수 있도록 해야 합니다.

임계값 설정은 모델의 상태를 결정하는 중요한 메트릭을 기반으로 하며, 이 과정은 예상보다 복잡할 수 있습니다. 설명 가능한 인공 지능(AI)은 AI 프로그램이 다른 AI 프로그램의 소스 코드를 검토하여 결과뿐만 아니라 그 결과를 도출한 작동 절차를 설명할 수 있게 하는 패러다임입니다. 이를 통해 복잡한 모델의 학습 과정을 간단하고 이해하기 쉬운 방식으로 기록하고 분석할 수 있습니다.

설명 가능한 AI의 활용은 모델의 예측에 영향을 미치는 설명 변수의 값을 조정하여 목표 변수의 원하는 값을 달성하는 데 도움이 될 수 있습니다. 이 기술은 현재 연구 단계에 있지만, 금융 산업을 포함한 비즈니스 환경에서의 구현은 멀지 않았습니다. 이는 기술의 발전으로 인해 머지않아 현실화될 것입니다.

"온라인 데이터 마이닝"은 다양한 온라인 소스에서, 예를 들어 정형, 비정형 또는 반정형 데이터에서 정보를 추출하는 과정입니다. 이 과정은 "웹 스크래핑"이나 "검색 엔진 마이닝"과 같은 다른 용어로도 알려져 있습니다. 웹에서 정보를 추출하는 이 과정은 특정 웹사이트에서 데이터를 수집하기 위해 사용되는 스크립트나 프로그램을 개발하는 것을 포함합니다. 이러한 스크립트는 웹사이트의 비정형 또는 반정형 HTML 웹 페이지를 분석하여, 임시로 정렬된 데이터를 체계적으로 분류하고 정리하는 데 사용됩니다. 현재, 다양한 애플리케이션을 통해 특정 온라인 페이지를 탐색하는 사용자를 시뮬레이션할 수 있는 소프트웨어와 스크립트가 개발되었습니다.

HTML 웹 페이지는 웹 서버가 제공하며, 이는 웹 페이지에서 특정 정보를 추출하는 것이 주된 목적입니다. 의사 결정 트리를 구현하기 위해서는 제공된 데이터 세트를 나뭇가지 형태로 물리적으로 분할하는 알고리즘을 사용해야 합니다. 이 알고리즘은 루트 허브에서 시작하여 수정된 의사 결정 트리를 생성합니다. 의사 결정 트리 인터페이스는 분석해야 할 구성 요소를 루트 허브에 로드하는 데 사용됩니다. 이 과정에서 의사 결정 트리는 분석 대상의 필드 이름과 함께 속성을 할당받습니다.

의사 결정 트리는 연속형 및 불연속형 구조를 모두 분석할 수 있으며, 이는 트리가 항목을 세분화하기 때문입니다. 분석 대상 내의 레코드, 필드, 값은 허브 디스플레이에 그래픽으로 표시됩니다. 의사 결정 트리를 구성하는 각 단계에서 내린 결정은 연구 대상 간의 관계를 강조하는 전략을 사용하여 설정됩니다.

## 1.7 웹 마이닝의 유형과 응용 분야

월드와이드웹은 지속적인 발전으로 인해 방대한 정보 자원이 되었습니다. 웹 마이닝은 이러한 정보를 생산적이고 유익한 방식으로 활용하는 실행 가능한 대안입니다. 웹 마이닝은 전통적인 데이터 마이닝 기법을 웹 콘텐츠에 적용하는 것을 의미합니다. 그러나 웹의 고유한 특성으로 인해 사용자는 일반적인 절차를 조정하고 확장해야 합니다.

웹 마이닝 과정을 시작하기 전에, 웹 문서를 정리하는 준비 단계가 필요합니다. 또한, 웹 페이지가 반정형화된 레이아웃을 가지고 있기 때문에, 문서를 추출하고 효과적으로 재구성해야 합니다. 인터넷에서 제공되는 콘텐츠는 더 심층적인 구조로 재구성되어야 하며, 사용되는 데이터 세트는 적절한 규모를 가져야 합니다.

월드와이드웹은 정보의 보고이자, 마이닝에 있어서도 다양한 가능성을 제공합니다. 특히, 여러 웹사이트에 존재하는 링크들은 데이터 마이너에게 귀중한 자원으로 활용될 수 있습니다. 그러나 사용자는 웹을 탐색하면서 정보의 질, 새로운 시스템 구축을 위한 지식의 접근성, 정보의 개인화, 그리고 다른 사용자와의 상호작용 등 다양한 장애물에 직면할 수 있습니다. 웹 마이닝 프로세스는 이러한 문제들을 해결하기 위한 구체적인 단계들을 포함할 수 있습니다.

웹 마이닝은 정보 및 데이터베이스 검색, 머신러닝 등 다른 분야의 기술과 함께 문제 해결에 기여할 수 있습니다. 온라인 콘텐츠 마이닝은 지식 발견의 한 형태로, 다양한 유형의 콘텐츠가 통합되는 과정을 포함합니다. 이미지, 비디오, 사운드

등의 혼합 미디어 데이터를 결합하여 웹사이트에 통합하는 과정은 '웹 콘텐츠 마이닝'의 중요한 부분입니다.

웹 마이닝은 운영자 기반 방법과 데이터베이스 접근 방식 등 두 가지 전략을 포함할 수 있습니다. 첫 번째 유형은 정보 인식과 분류 프로세스를 개선하는 것을 목표로 하며, 웹 사용 분석은 사용자 행동을 예측하는 알고리즘 개발과 관련이 있습니다.

온라인 사용 마이닝의 다음 단계는 웹 로그 기록에서 데이터를 추출하여 사용자 액세스 패턴을 분석하는 것입니다. 이 분석을 통해 개인화, 프레임워크 수정, 비즈니스 인사이트 등 다양한 응용 프로그램을 개발할 수 있습니다.

웹 구조 마이닝에서는 웹 내부의 하이퍼링크 구조를 관리하는 것이 주요 도전 과제입니다. 웹 마이닝의 보급으로 연구 초점이 웹사이트 아키텍처 조사로 전환되었으며, 이로 인해 링크 마이닝과 같은 새로운 연구 영역이 탄생했습니다.

이 책에서는 링크 마이닝, 하이퍼텍스트 및 웹 마이닝, 소셜 학습, 귀납적 추론 프로그래밍, 다이어그램 마이닝 등 다양한 주제를 다룰 예정입니다. 월드와이드웹의 구조는 글쓰기 스타일과 표현 방식에서 기존의 서면 자료와 크게 다르며, 이러한 차이는 웹의 다양한 구성 방식에서도 나타납니다.

웹사이트는 링크 번호, 시각적 디자인, 의미론에 기반한 세분화 등 다양한 방법으로 세분화될 수 있습니다. 월드와이드웹은 교육, 산업, 정부 등 다양한 분야에서 중요한 커뮤니케이션 채널로 자리 잡고 있으며, 이제는 인터넷이 연결된 거의 모든 곳에서 콘텐츠에 접근할 수 있습니다. 이는 사용자에게 다양한 선택지를 제공하며, 제조업체는 소비자의 몰입도를 높이기 위한 전략을 개발해야 합니다.제공해야 합니다.  사용자가 원하는 것이 풍부하기 때문입니다.

## 웹 사용 분석과 마이닝 전략

웹 사이트 재구성의 최종 목표는 링크와 시각적 매력이 뛰어난 최신 웹 페이지를 염두에 두고, 사용자 행동 분석 및 향후 요구 사항 예측을 통해 조직이 데이터 수집 및 연구를 위한 추가적인 전자 혜택(e-혜택) 프레임워크를 구축하도록 합니다. 웹 서버에서 수집한 액세스 로그는 사용자의 온라인 행동 패턴에 대한 정보를 저장하며, 이 데이터 분석을 통해 웹 페이지의 효율성을 높이고, 업무 관리 및 커뮤니케이션을 개선하며, 타겟 광고를 위한 사용자 식별에 활용될 수 있습니다.

## 웹 데이터 마이닝

웹 데이터 마이닝은 온라인 로그에서 수집한 데이터를 기반으로 사용자 패턴과 행동을 분석하는 과정입니다. 이 과정은 크게 전처리, 패턴 탐색, 그리고 패턴 분석의 세 단계로 구분됩니다. 전처리 단계에서는 원시 사이트 문서를 준비하고, 사용자 데이터 프로필을 페이지 순서, 사이트 지역, 서버 세션 레코드로 변환합니다. 패턴 탐색 단계에서는 서버 세션 문서에서 모니터링 가능한 세션, 패턴, 정보 제안을 추출합니다. 마지막으로, 패턴 분석 단계에서는 수집된 규범, 패턴, 사실 정보를 분석하여 의미 있는 인사이트를 도출합니다.

### 데이터베이스 축소와 의사 결정 리드

데이터베이스 생성 시 데이터베이스의 크기를 축소하는 것은 시스템 발전의 첫 번째 단계입니다. 이후, 웹 사이트에서 얻은 정보를 의사 결정 리드를 통해 개별 구성 요소의 특성에 따라 분류합니다. 이 과정은 웹 로그 마이닝 프로세스의 핵심이며, 웹 로그에서 발견되는 데이터의 지속적인 증가로 인해 간접적으로 수행되어야 합니다. 웹 서버 로그 문서에 포함된 데이터를 전처리하여 가치 있는 데이터를 추출하고, 이를 인스턴스 발견 및 분석에 필요한 개념적 데이터로 변환하는 것이 필수적입니다.

## 웹 사용 분석의 응용

웹 사용 분석은 웹사이트의 사용자 액세스 패턴을 구분하고 분석하여 개인화, 프레임워크 수정, 현재 사이트의 개선, 비즈니스 인사이트 및 사용자 경험 개선 등 다양한 응용 프로그램을 개발하는 데 기여합니다. 이러한 분석을 통해 조직은 사용자의 요구와 행동을 더 잘 이해하고, 웹 사이트를 사용자 친화적으로 만들며, 타겟 마케팅 전략을 효과적으로 수립할 수 있습니다.

웹 사용 분석과 마이닝은 웹사이트 개선과 사용자 경험 최적화를 위한 필수적인 접근 방식입니다. 이를 통해 조직은 사용자의 요구를 충족시키고, 웹사이트의 효율성과 효과를 극대화할 수 있습니다.

## 웹 마이닝 프로세스와 데이터 추출

온라인 데이터로부터 지식을 추출하는 웹 마이닝 프로세스를 살펴보면 먼저, 온라인 페이지, 링크, 사용 로그 데이터 등 다양한 소스로부터 정보를 수집합니다. 웹 콘텐츠 마이닝은 주요 콘텐츠에서 정보를 추출하는 것으로, 텍스트, 이미지, 음악, 비디오 등 다양한 형태의 데이터를 포함합니다.

콘텐츠 마이닝은 테마 감지, 추적, 패턴 추출, 문서 클러스터링 등을 포함하여 다양한 연구 주제를 다룹니다. 웹캠 이미지 분석과 같은 사진 처리 기술은 온라인 콘텐츠 마이닝에 한계가 있음에도 불구하고 중요한 연구 분야입니다.

웹 구조 마이닝은 웹의 정보 구조를 추출하는 핵심 분야로, 하이퍼링크는 웹사이트 내외의 페이지를 연결하는 필수 요소입니다. 하이퍼링크는 문서 내외의 연결을 가능하게 하며, 웹 페이지 콘텐츠는 HTML 및 XML 레이블을 통해 구조화됩니다.

온라인 사용량 마이닝은 웹 브라우징 데이터에서 사용 패턴을 추출하는 과정으로, 웹 서버 데이터, 애플리케이션 서버 데이터 등을 분석합니다. 이 과정은 사용자의 요구와 행동을 더 깊이 이해하는 데 도움을 줍니다.

웹 사용 마이닝은 클릭 스트림을 통한 사용자 경로 설계 발견을 포함하며, 웹 서버 로그 분석을 기반으로 합니다. 이 분석은 조직이 시장 조사를 수행하고, 데이터 생성 및 축적을 관리하며, 마케팅 전략을 개선하는 데 중요합니다.

웹 로그 마이닝은 데이터베이스 크기 축소와 의사 결정 리드 생성을 포함합니다. 이 과정은 웹 서버 로그에서 가치 있는 데이터를 추출하고, 이를 분석하여 조직의 커뮤니케이션 및 계층 구조 관리에 통찰력을 제공합니다.

웹 마이닝은 웹사이트 개선, 사용자 경험 최적화, 마케팅 전략 개발에 필수적인 도구입니다. 이를 통해 조직은 사용자의 요구를 충족시키고, 웹사이트의 효율성과 효과를 극대화할 수 있습니다.

## 1.9 웹 데이터에 대한 사용자 선호도 분석

### 웹 데이터 클러스터링(Web Data Clustering)

웹 데이터 클러스터링은 유사한 특성을 가진 데이터를 같은 그룹(클래스)에, 서로 다른 특성을 가진 데이터를 다른 그룹에 배치하여 온라인 데이터를 체계적으로 분류하는 과정입니다. 이 과정의 주된 목표는 월드와이드웹(World Wide Web)에서 수집 가능한 정보를 효과적으로 정리하고, 그룹화하여 사용자가 쉽게 접근하고 이해할 수 있도록 하는 것입니다. 웹 데이터 클러스터링의 이점으로는 정보 접근성의 향상, 사용자 이해도 증진, 검색 범위 확장, 웹 자료의 신속한 제공 등이 있습니다.

### 사용자 경로 세션 기반 클러스터링

이 방법은 웹 로그(web log) 데이터를 활용하여 유사한 사용자 행동 패턴을 가진 세션을 그룹화합니다. 웹 로그는 사용자가 웹 페이지를 방문한 순간부터 사이트를 떠날 때까지의 모든 활동을 기록합니다. 이 데이터는 사용자의 선호도와 행동을 분석하는 데 중요한 역할을 합니다. 예를 들어, 도쿄대학의 연구 데이터(http://www.race.u-tokyo.ac.jp/uchida/blogdata/)는 이러한 분석에 활용될 수 있습니다.

## 클러스터링을 통한 온라인 문서의 이점

온라인 문서 클러스터링은 유사한 내용을 가진 웹 페이지를 식별하고 그룹화하는 과정입니다. 이는 웹 정보의 효율적인 검색과 조직화를 가능하게 하며, 웹 토폴로지(web topology)를 통해 자료의 구조화에 기초를 제공합니다. 조정 다이어그램(coordination diagram)을 사용하여 웹 페이지 간의 연결고리를 시각화하고, 이를 통해 정보의 통합과 접근성을 개선할 수 있습니다.

## 복합 문서와 웹 페이지 그룹

복합 문서(composite document)는 여러 웹 페이지로 구성된 문서를 말하며, 이는 링크 다이어그램(link diagram)의 요구 사항을 충족시키며 서로 연결된 웹 페이지 그룹을 형성합니다. 이러한 그룹화는 웹 사용자의 요구를 효과적으로 충족시키는 데 중요한 역할을 합니다.

### 사용자 맞춤형 콘텐츠 전송

커스터마이징(customizing)은 사용자 또는 사용자 그룹의 요구를 충족하기 위해 정보 프레임워크와의 상호작용을 맞춤화하는 과정입니다. 이는 웹 크롤러(web crawler)가 특정 주제에 초점을 맞춘 웹의 섹션을 효율적으로 탐색하게 하며, 개별화된 콘텐츠 전송의 중요성을 강조합니다.

### 데이터 레코드의 마이닝

웹 페이지에 포함된 데이터 레코드는 필요한 정보의 대부분을 제공합니다. 이 데이터를 마이닝하여 고객에게 다양한 부가가치 서비스를 제공할 수 있습니다. 이 과정은 데이터 항목의 자동 인식 및 업데이트를 포함하며, 다양한 접근 방식을 통해 수행될 수 있습니다.

### 데이터 추출 방법

웹 페이지에서 데이터를 추출하는 방법에는 래퍼 삽입(wrapper insertion)과 프로그래밍된 추출(programmed extraction)이 포함됩니다. 이러한 방법은 웹사이트에서 데이터와 콘텐츠를 효과적으로 수집하는 데 사용됩니다. 각 방법은 특정 상황에 따라 선택되며, 데이터 추출의 효율성을 높이는 데 기여합니다.

이 내용을 통해 컴퓨터 공학 분야의 학생들이 웹 데이터 클러스터링과 사용자 맞춤형 콘텐츠 전송의 중요성을 이해하고, 이를 실제 웹 환경에서 어떻게 적용할 수 있는지 학습할 수 있기를 바랍니다.

## 웹 데이터 출처 관리

웹 데이터를 활용하는 과정에서 출처를 식별하고 관리하는 것은 필수적인 단계입니다. 비록 인터넷을 통해 수집된 데이터의 출처를 직접적으로 식별하는 명확한 방법이 부재함에도, 다양한 기법을 통해 데이터 출처를 추적하고 관리할 수 있습니다. 웹 데이터의 출처는 데이터베이스 관리 시스템이나 워크플로 관리 프레임워크와 같은 독립적인 시스템에서는 일반적으로 고려되지 않는 정보입니다. 그러나 웹 애플리케이션 및 서비스에서는 출처 정보를 활용하여 데이터의 신뢰성을 평가하고, 적절한 데이터 출처를 사용하는지 확인하는 것이 중요합니다.

## 출처 증명과 시맨틱 웹

출처 증명(provenance)은 데이터가 어디서 왔는지, 어떻게 생성되었는지를 추적하는 과정입니다. 시맨틱 웹(semantic web)의 일부로서, 출처 프레임워크는 데이터와 관련된 지식

출처를 식별, 관리, 활용하는 데 중요한 역할을 합니다. 이는 데이터의 신뢰성을 높이고, 데이터에 대한 적절한 해석을 가능하게 합니다.

## 데이터와 출처의 관계

데이터 자체와 그것이 문서에 표시되는 방식 사이에는 중요한 차이가 있습니다. 출처 정보는 이러한 차이를 명확히 하는 데 도움을 줄 수 있습니다. 데이터의 출처를 명확히 함으로써, 데이터의 신뢰성과 정확성을 보장할 수 있습니다.

## 데이터 출처의 중요성

웹을 통해 수집된 데이터의 출처는 데이터의 신뢰성과 관련성을 평가하는 데 중요한 요소입니다. 데이터 세트를 제공하는 서비스의 운영자가 누구인지, 데이터의 실질적인 출처가 무엇인지를 이해하는 것은 데이터를 활용하는 데 있어 필수적입니다

## 이기종 데이터의 통합

현대의 정보 아키텍처와 웹 기반 비즈니스 애플리케이션은 다양한 독립적인 데이터 소스의 상호 운용성을 지원해야 합니다. 이는 데이터를 다양한 방식으로 처리하고 저장하는 데 있어 중요한 과제를 제시합니다. 데이터의 통합은 이러한 다양한 데이터 집합을 결합하는 데 있어 점점 더 중요해지고 있습니다.

## 데이터 매핑과 이기종 의미론

데이터를 한 구성에서 다른 구성으로 이동시키는 과정은 복잡한 데이터 변환 작업을 필요로 합니다. 이기종 의미론 작업은 개별적으로 생성된 데이터 구조를 매핑하고, 이를 통해 데이터의 일관성을 유지하며, 다양한 소스에서 생성된 데이터의 통합을 가능하게 합니다.

웹 데이터의 출처 관리는 데이터의 신뢰성과 정확성을 보장하는 데 중요합니다. 출처 증명을 통해 데이터의 기원을 추적하고, 이기종 데이터의 통합을 통해 다양한 데이터 소스의 상호 운용성을 지원하는 것은 현대 웹 애플리케이션과 서비스의 핵심 요소입니다. 데이터의 출처를 명확히 함으로써, 우리는 보다 신뢰할 수 있는 데이터 기반의 결정을 내릴 수 있습니다.

2장. 부울(Boolean) 함수

## 2.1 소개

부울 함수에 대한 연구는 함수의 중요한 개념들을 명확하게 설명할 수 있는 특별한 기회를 제공합니다. 부울 함수는 여러 중요한 서브클래스로 나뉘며, 이들 각각은 본문에서 별도로 다루어집니다. 본 장에서는 부울 함수와 관련된 기본적인 개념과 특성에 초점을 맞춥니다. 부울 함수f(x1, x2..., xn)는 입력 값 n-튜플을 "0“또는 ”1"의 형식으로 매핑합니다.

부울 대수는 부울 함수를 표현하는 데 사용되는 주요 표기법으로, '+'(OR 연산)와 '·'(AND 연산)을 포함합니다. 예를 들어, x1 · x2는 x와 x2가 모두 1일 때만 1의 값을 가집니다. 반면, x1+x2는 x와 x2 중ㅇ에서 하나라도 1이면 1의 값을 가집니다. 변수의 부정은 보통 해당 변수 위에 바(¯x)를 사용하여 표현합니다.

## 2.2 도식적 표현

부울 함수는 큐브의 정점을 사용하여 도식적으로 표현할 수 있습니다. 함수의 매개변수가 n개일 경우, n-차원 하이퍼큐브를 사용하여 정확하게 표현할 수 있습니다. 값이 1인 정점은 작은 정사각형으로, 0인 정점은 작은 원으로 표시됩니다.

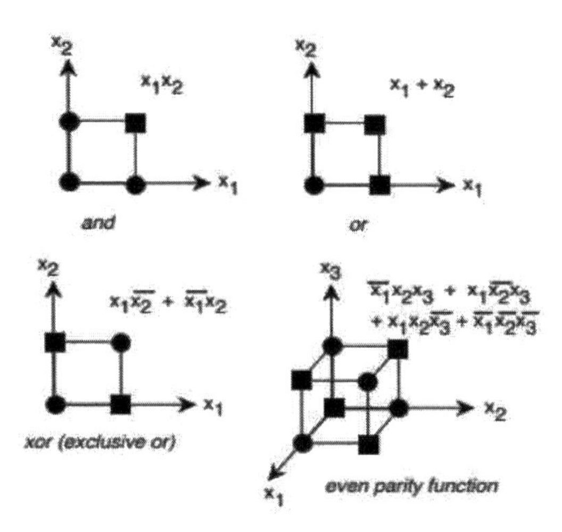


**그림** 2.1: 큐브에서 부울 함수 표현하기
출처: 머신러닝 데이터 수집 및 처리 입문,
Nils J. Nilsson, 2020

n-차원 하이퍼큐브를 사용하면 부울 함수의 수를 쉽게 결정할 수 있습니다. 예를 들어, 3차원 큐브는 223=256223=256

개의 서로 다른 부울 함수를 나타낼 수 있습니다. 이는 각 정점이 두 가지 상태를 가질 수 있음을 의미합니다.

고차원에서는 카르노 맵(Karnaugh map)을 사용하여 부울 함수를 도식화할 수 있습니다. 카르노 맵은 변수의 값에 따라 배열된 행과 열을 통해 부울 함수의 결과를 시각적으로 표현합니다. 이 배열은 하이퍼큐브의 인접한 정점이 서로 인접한 맵 항목에 대응하도록 구성됩니다.

짝수 패리티 함수(even parity function)와 같은 특정 함수를 카르노 맵에 적용할 때, 모든 인접한 셀은 하나의 입력만이 서로 다르다는 것을 나타냅니다. 이는 부울 함수의 특성을 분석하는 데 유용한 도구입니다.

부울 함수와 관련된 이러한 도식적 표현 방법은 함수의 특성과 동작을 이해하는 데 도움을 줍니다. 그러나 고차원 공간에서는 시각적 표현의 한계로 인해 직관적 이해가 어려울 수 있으므로, 저차원에서 얻은 직관을 고차원에 적용할 때는 주의가 필요합니다.

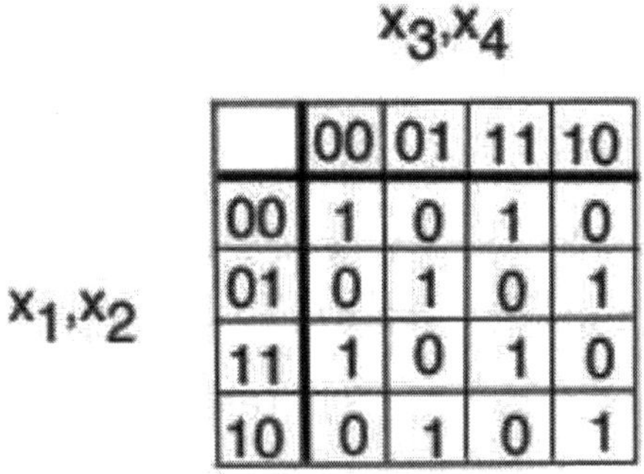

x3,x4

x1,x2

| | 00 | 01 | 11 | 10 |
|---|---|---|---|---|
| 00 | 1 | 0 | 1 | 0 |
| 01 | 0 | 1 | 0 | 1 |
| 11 | 1 | 0 | 1 | 0 |
| 10 | 0 | 1 | 0 | 1 |

**그림 2.2: 카르노 맵**

출처: 머신러닝 데이터 수집 및 처리 입문
Nils J. Nilsson 2020

## 2.3 부울 함수의 클래스

부울 함수를 효과적으로 분석하고 활용하기 위해서는 함수의 다양한 하위 클래스에 대한 이해가 필수적입니다. 이러한 하위 클래스들은 머신러닝에서 특히 중요한 역할을 하며, 함수를 분류하고 구현하는 데 있어 기본적인 "용어(term)" 개념을 사용합니다. 예를 들어, $l_1,l_2....l_k$형태의 함수는 여러 리터럴(literal)의 접속으로 구성된 텀으로 간주됩니다. 여기서 $l_i$는 리터럴을 나타냅니다. 예를 들어, x1x7 및 x1x2x4는 이러한 접근 방식으로 표현될 수 있는 함수의 예입니다. 텀의 "크기"는 포함된 리터럴의 수로 정의됩니다.

## 임플란트와 소인수 임플란트의 관계

부울 함수의 큐브 표현을 사용하면 함수와 그 임플란트 사이의 관계를 시각적으로 설명할 수 있습니다. 예를 들어, 함수 f를 x2x3+x1x3+x2x1x3으로 정의할 때, 이 함수는 그림 2.2와 같이 도식화될 수 있습니다. 여기서 각 평면은 값이 1인 정점 그룹을 차단하지만, 값이 0인 정점을 차단하지 않습니다. 이러한 평면들은 함수 f의 각 임플란트에 해당하며, 각 임플란트는 특정 차원의 서페이스에 대응합니다.

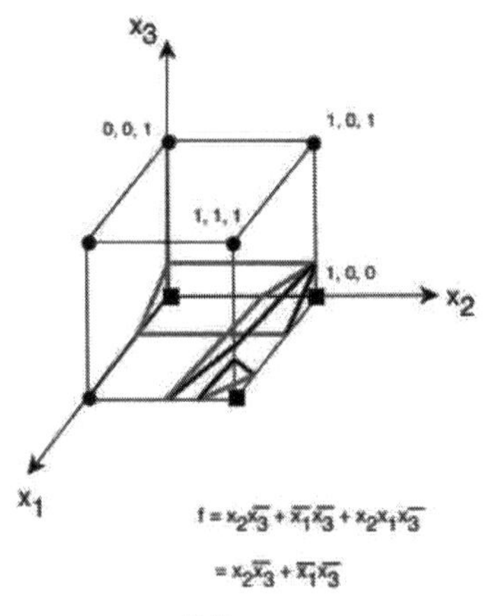


**그림 2.3**: 함수와 임플란트
출처: 머신러닝 데이터 수집 및
처리 입문 Nils J. Nilsson 2020

함수는 임플란트에 의해 분리된 모든 정점의 결합으로 표현됩니다. 임플란트가 "소수(Prime)"로 간주되기 위해서는 관련 서페이스가 모든 1 값을 가진 정점을 포함하며, 0 값을 가진 다른 정점을 포함하지 않는 가장 큰 차원의 서페이스여야 합니다.

## 2.4 DNF와 부울 함수 모델링

모든 부울 함수는 DNF(Disjunctive Normal Form)을 사용하여 모델링할 수 있으며, 특히 각 텀이 길이 n의 항으로 분리되어 모델링될 수 있습니다. DNF에서는 모든 부울 함수를 표현할 수 있으며, k-DNF에서는 $2^{O(nk)}$개의 함수만 존재합니다. 이 차이는 부울 함수를 DNF로 표현하는 능력에서 비롯됩니다.

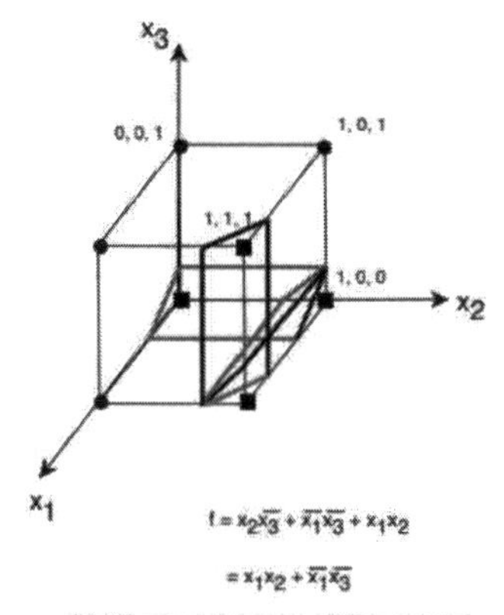


**그림 2.4**: DNF를 사용한 부울 함수 표현
출처: 머신러닝 데이터 수집 및 처리 입문, Nils J. Nilsson 2020

함수를 DNF 형식으로 정의할 수 있다면, 합의 기법을 사용하여 각 텀이 주 내포자인 함수에 대한 표현식을 찾을 수 있습니다. 이 접근 방식은 함수의 DNF 표현을 가능하게 하며, 함수의 구조와 동작을 이해하는 데 중요한 도구입니다.

부울 함수의 이러한 분석은 머신러닝과 같은 분야에서 함수의 특성을 이해하고 적용하는 데 필수적입니다. 이러한 개념과 도구를 통해 복잡한 논리 구조를 효과적으로 모델링하고 분석할 수 있습니다.

## 입력 변수의 재배열과 대칭 함수

입력 변수의 순서 변경이 함수의 결과에 영향을 미치지 않는 경우, 해당 함수를 대칭 함수라고 합니다. 예를 들어, 입력 변수 중 1의 값을 가지는 변수의 수에만 의존하는 모든 함수는 대칭 함수입니다. 패리티 함수는 입력 변수 중 1의 값이 짝수 개인지 홀수 개인지에 따라 결과가 달라지므로 대칭 함수의 한 예입니다.

## 대칭 함수의 하위 클래스

대칭 함수 중에서도 특히 중요한 하위 클래스로는 투표 함수(m-of-n 함수)가 있습니다. k-투표 함수는 n개의 입력 중 k개 이상이 1일 때만 1의 값을 반환합니다. 예를 들어, k가 1이면 어떤 입력이라도 1이면 함수는 1을 반환하며, k가 n이면 모든 입력이 1일 때만 함수가 1을 반환합니다. 다수결 함수는 입력의 절반 이상이 1일 때 1을 반환하는 특별한 경우의 투표 함수입니다.

## 학습을 위한 버전 공간 사용

버전 공간과 버전 그래프의 개념은 부울 함수를 학습하는 데 있어 기초적인 역할을 합니다. 초기 가설 집합 H와 훈련 데이터 집합 X에 대해, 버전 공간은 훈련 데이터와 일치하는 가설의 하위 집합입니다. 훈련 과정에서 훈련 데이터와 일치하지 않는 가설은 제외됩니다.

## 버전 공간의 구현

버전 공간은 학습 과정에서 점진적으로 축소됩니다. 각 단계에서, 현재 버전 공간에 속하는 함수 중 훈련 데이터와 일치하지 않는 함수는 제외되며, 이 과정을 통해 최종적으로 훈련 데이터와 일치하는 함수의 하위 집합이 남게 됩니다.

## 실수 한계와 학습

버전 공간을 사용한 학습 방법은 실수의 최대 횟수에 대한 이론적 한계를 제공합니다. 예를 들어, 최대 실수 횟수는 가설 집합 H의 크기에 로그를 취한 값으로 제한될 수 있습니다. 이는 학습 과정에서 발생할 수 있는 최대 실수 횟수를 예측하는 데 도움이 됩니다.

## 버전 공간의 계산적 표현

버전 공간을 계산적으로 표현하고 활용하는 방법은 학습 알고리즘의 효율성을 높이는 데 중요합니다. 이러한 표현 방법은 학습 과정을 최적화하고, 학습된 모델의 일반화 능력을 평가하는 데 유용합니다.

이러한 개념들은 부울 함수를 학습하고 이해하는 데 있어 중요한 기초를 제공하며, 머신러닝 이론과 실제에 광범위하게 적용됩니다.

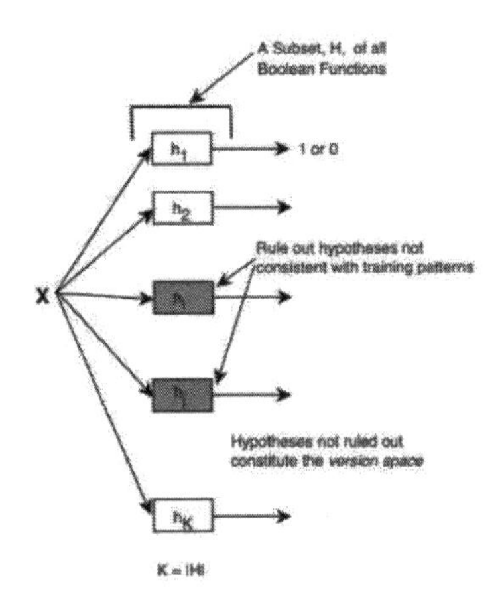


**그림 2.5**: 버전 공간 구현하기
출처: 머신러닝 데이터 수집 및
처리 입문 Nils J. Nilsson 2020

## 2.5 버전 그래프

버전 그래프는 네트워크의 노드로 다양한 가설 $h_i$를 활용하여 구성됩니다. 노드 $h_j$가 노드 $h_i$보다 더 일반적인 경우, $h_i$에서 $h_j$로의 방향성 연결(호)이 생성됩니다. 이러한 구조의 그래프를 버전 그래프라고 부르며, 특정 가설에 대한 일반성의 계층을 시각적으로 표현합니다.

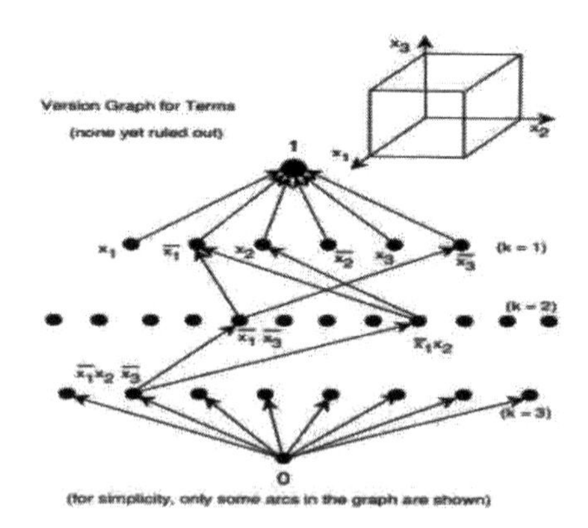


**그림 2.6**: 용어에 대한 버전 그래프
출처: 머신러닝 데이터 수집 및 처리
입문 Nils J. Nilsson 2020

그래프의 최상위 노드는 모든 입력에 대해 항상 1을 반환하는 함수를 나타냅니다. 반대로, 그래프의 최하위 노드는 모든 입력에 대해 0을 반환하는 함수를 나타냅니다. 그 사이의 노드들은 리터럴의 개수에 따라 계층적으로 배열됩니다.

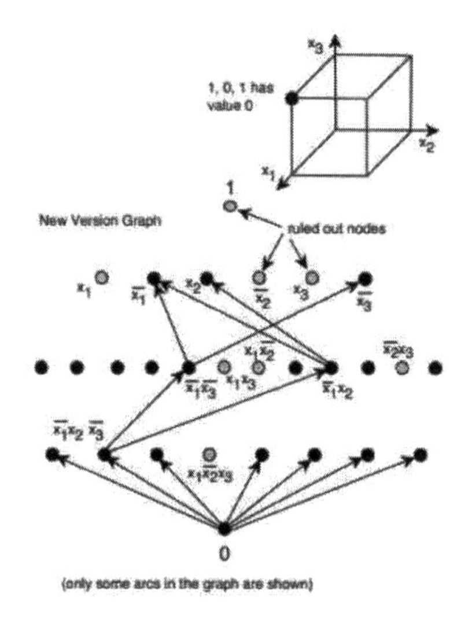


**그림 2.7**: (1, 0, 1)을 볼 때의
버전 그래프
출처: 머신러닝 데이터 수집 및
처리 입문 Nils J. Nilsson 2020

학습 패턴에 따라 버전 그래프는 업데이트되어 일치하지 않는 가설을 제거합니다. 이는 학습 데이터와 일치하는 가설만을 남기는 과정입니다.

### 경계 집합을 통한 버전 공간 정의

버전 공간의 전체를 명시적으로 표현하는 대신, 경계 집합을 사용하는 대안적 접근 방식이 제안됩니다. 경계 집합은 현재 가능한 가설 중 가장 일반적인 가설과 가장 특수한 가설을 포함합니다. 이를 통해 주어진 학습 데이터에 대해 가능한 모든 가설 중 어떤 것이 버전 공간에 속하는지 판단할 수 있습니다.

### 버전 공간과 학습

버전 공간의 개념은 학습 과정에서 중요한 역할을 합니다. 특정 학습 데이터에 대해 가능한 가설의 집합을 점진적으로 좁혀나가며, 최종적으로 데이터와 일치하는 가설의 집합을 도출합니다. 이 과정은 학습 데이터에 대한 가설의 일관성을 검증하고, 일치하지 않는 가설을 제거하는 방식으로 진행됩니다.

## 버전 공간의 활용

버전 공간의 활용은 학습 데이터에 대해 일관된 가설을 찾는 데 있어 중요한 전략입니다. 이는 학습 과정에서 발생할 수 있는 오류의 최대 횟수를 제한하고, 학습된 모델의 일반화 능력을 평가하는 데 도움을 줍니다. 또한, 버전 공간을 통해 학습 데이터에 대한 가설의 일관성을 지속적으로 검증함으로써, 학습 과정의 효율성을 높일 수 있습니다.

이러한 접근 방식은 머신러닝 이론과 실제에 광범위하게 적용되며, 복잡한 학습 문제를 해결하는 데 있어 효과적인 전략을 제공합니다. 버전 공간과 관련된 개념들은 학습 알고리즘의 설계와 구현에 있어 기초적인 역할을 하며, 학습 모델의 성능을 최적화하는 데 중요한 기여를 합니다.

## 3.1 소개

이전 장에서는 부울 함수의 중요한 하위 집합들을 탐구했습니다. 이제, 그 중 하나를 선택하여 지도 학습에 적용하는 방법을 고려해 보겠습니다. 이 장에서는 비선형 구성 요소들로 구성된 네트워크를 통해 다양한 입력과 출력 함수를 구현하고, 이 네트워크를 지도 학습 방식으로 훈련시키는 방법을 다룹니다. 이러한 네트워크는 수정 가능한 가중치를 통해 연결되어 있으며, 이는 머신러닝 과정에서 핵심적인 역할을 합니다.

비선형 구성 요소들은 생물학적 뉴런 네트워크의 작동 방식과 유사하게, 다른 요소들의 출력에 가중치를 부여한 합계를 입력으로 사용합니다. 이러한 유사성 때문에 이들을 신경망이라고 부릅니다. 임계값 개념은 이 네트워크에서 중요한 역할을 하며, 이 장에서는 임계값 요소를 포함하는 가장 기본적인 네트워크를 살펴보고, 신경망을 구성하는 다른 요소들에 대해서도 탐구할 것입니다.

## 3.2 임계값 논리 유닛(TLU)의 개념

임계값 논리 유닛(TLU)은 입력의 가중치 합계를 임계값과 비교하여 1 또는 0의 출력을 결정하는 구조입니다. 이 구조는 선형적으로 분리 가능한 함수를 구현하는 데 사용됩니다.

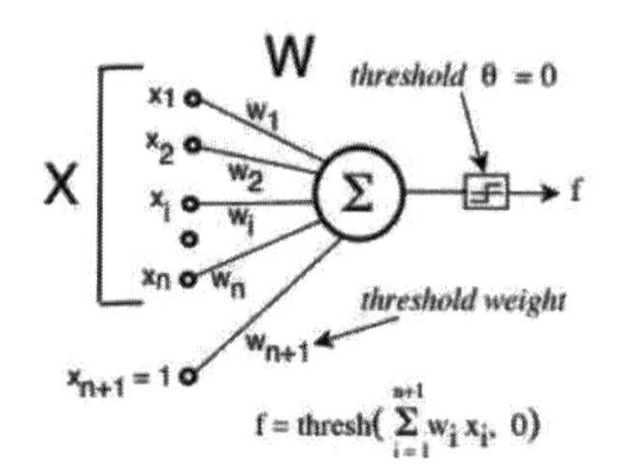


**그림 3.1**: 임계값 논리 유닛(TLU)
출처: 머신러닝 데이터 수집 및 처리 소개 작성자: Nils J. Nilsson 2020

## 3.3 선형적으로 분리 가능한 함수의 구현

TLU는 각 입력에 가중치를 부여하여 크기 k의 항을 생성할 수 있습니다. 양수 리터럴에 해당하는 입력에는 +1의 가중치를, 음수 리터럴에 해당하는 입력에는 -1의 가중치를 부여합니다. 컷오프는 용어에 포함된 양수 리터럴의 총량 $k_p$의 절반보다 작은 값으로 설정됩니다. 이러한 TLU는 하이퍼큐브의 표면에 평행한 하이퍼플레인 경계를 구현합니다.

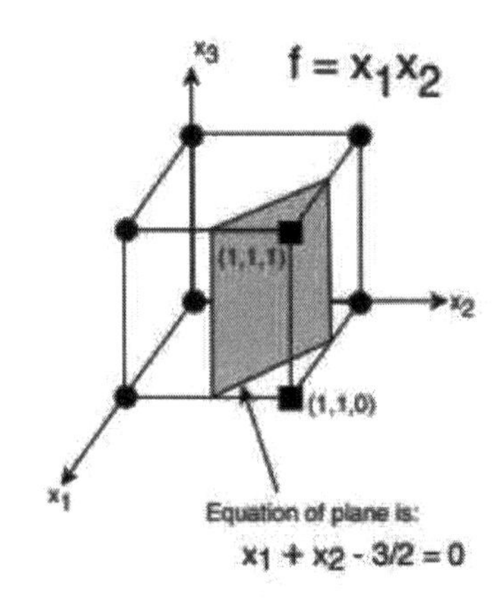


**그림 3.2**: 용어 구현하기
출처: 머신러닝 데이터 수집 및
처리 입문 Nils J. Nilsson 2020

## 3.4 TL의 오류 수정 훈련

TLU의 가중치 조정은 오류 수정 절차를 통해 이루어집니다. 이 절차는 TLU가 학습 패턴 중 하나에서 실수를 할 때만 가중치 벡터를 수정합니다. 이 과정은 가중치 공간에서의 변화를 통해 가중치 벡터의 조정이 어떻게 이루어지는지 명확하게 이해할 수 있게 합니다.

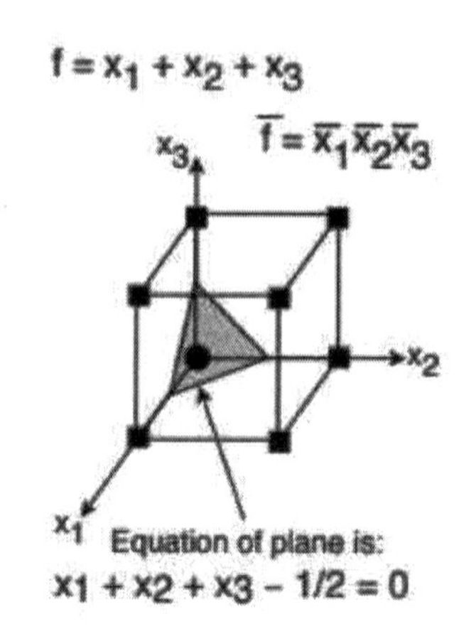


**그림 3.3**: A 절 구현하기
출처: 머신러닝 데이터 수집 및 처리 입문 Nils J. Nilsson 2020

이 장에서는 신경망과 같은 비선형 구성 요소 네트워크를 통해 다양한 함수를 구현하고, 이를 지도 학습 방식으로 훈련시키는 방법을 탐구합니다. 이 과정에서 임계값 논리 유닛(TLU)의 역할과 선형적으로 분리 가능한 함수의 구현, 그리고 TLU의 오류 수정 훈련 방법에 대해 자세히 살펴보았습니다. 이러한 기초적인 개념들은 신경망 학습의 이해를 돕고, 머신러닝 시스템의 설계와 구현에 있어 중요한 기반을 제공합니다.

이 절은 모든 n+1 차원에서 공간의 원점을 관통하는 쌍곡면 위에 위치한 점들을 설명합니다. 이러한 구조는 모든 패턴 벡터가 연관된 하이퍼플레인을 가지게 함으로써, 가중치를 특정 반공간에 배치할 때 생성되는 도트 곱의 부호를 결정합니다. 이는 가중치 공간에서의 패턴 분류 가능성을 기하학적으로 해석하는 데 중요한 역할을 합니다.

### 가중치 공간과 하이퍼플레인의 상호작용

**하이퍼플레인 정의:** 각 패턴 벡터는 가중치 공간에서 하나의 하이퍼플레인을 정의합니다. 이 하이퍼플레인은 가중치 벡터가 해당 패턴에 대해 양의 도트 곱을 생성하는 반공간과 음의 도트 곱을 생성하는 반공간을 분리합니다.

**솔루션 영역 탐색:** 특정 패턴 집합에 대해 올바른 응답을 생성하는 가중치 벡터의 존재 여부는 가중치 공간에서 이러한 하이퍼플레인들의 교차 영역, 즉 '솔루션 영역'을 통해 기하학적으로 해석될 수 있습니다.

### 오류 수정과 가중치 조정

**고정 증분 규칙:** 잘못된 응답을 제공하는 패턴에 대해 가중치 벡터를 조정함으로써, 가중치는 점차적으로 솔루션 영역으로 이동하게 됩니다. 이 과정은 가중치 벡터가 솔루션 영역 내부

에 안정적으로 위치할 때까지 반복됩니다.

**기울기 하강법:** 가중치 조정의 목표는 제곱 오차를 최소화하는 것입니다. 이는 가중치의 함수로서 음의 기울기 방향으로 이동함으로써 달성될 수 있으며, 이 과정은 전역 최소값을 찾는 데 도움이 됩니다.

## 실습 예제와 그림 설명

**가중치 공간 시각화:** 그림 3.4와 3.5는 가중치 공간에서 패턴 하이퍼플레인과 솔루션 영역을 시각화하여, 가중치 벡터가 어떻게 조정되어야 하는지를 보여줍니다.

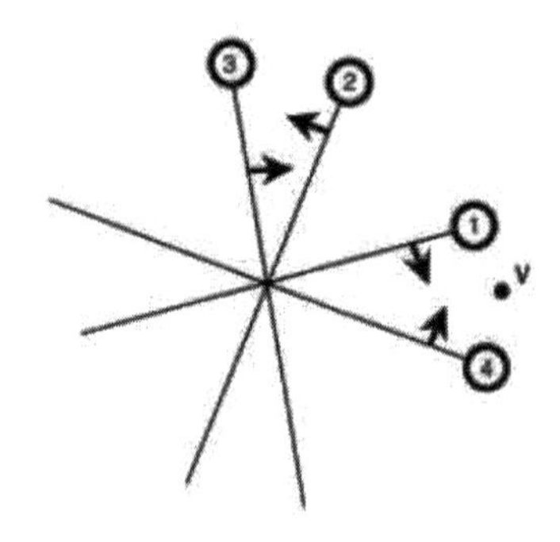


**그림** 3.4: 가중치 공간
출처: 머신러닝 데이터 수집
및 처리 입문 Nils J.
Nilsson 2020

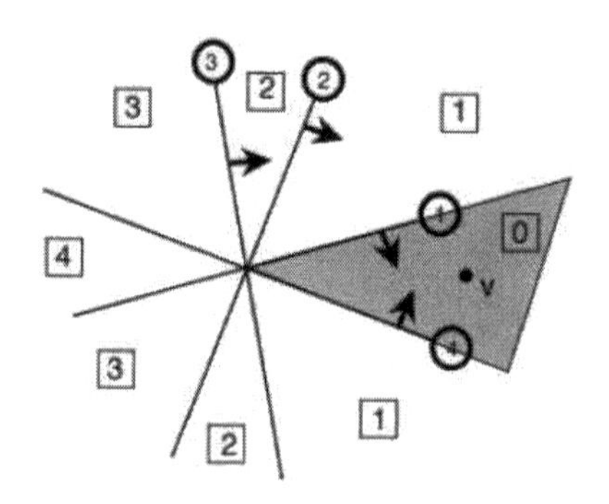


**그림** 3.5: 가중치 공간의
솔루션 영역
출처: 머신러닝 데이터 수집 및
처리 입문 Nils J. Nilsson 2020

실습 절차: 그림 3.6은 가중치 벡터가 초기 위치에서 시작하여 오류를 수정하는 과정을 거쳐 솔루션 영역으로 이동하는 과정을 단계별로 설명합니다.

이러한 개념과 방법론은 신경망 학습과 관련된 근본적인 이론을 이해하는 데 중요하며, 이는 학습 알고리즘의 설계와 최적화에 있어 기본적인 지침을 제공합니다.

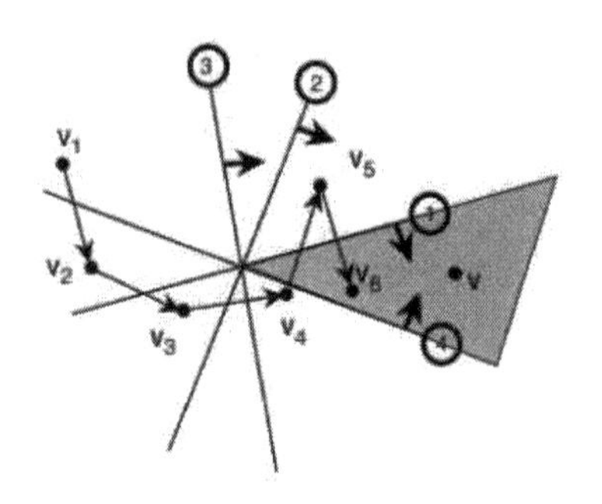


**그림 3.6**: 솔루션 영역으로 이동하기
출처: 머신러닝 데이터 수집 및 처리 소개 Nils J. Nilsson 2020

부분 도함수를 계산하는 과정은 입력 벡터들에 의존적이기 때문에 복잡할 수 있습니다. 일반적으로, 한 번에 하나의 입력 요소 $X_i$에 대해서만 임계값 논리 단위(TLU)를 적용하고, 단일 패턴의 제곱 오차 *I*의 기울기를 계산한 후, 필요에 따라 가중치를 조정하는 점진적 절차가 선호됩니다. 이 방법은 처리 과정을 신속하게 진행하기 위해 사용됩니다. 대부분의 경우, 이 점진적 접근 방식이 권장되며, 이는 테스트 과정에서 한 번에 하나의 요소만 TLU에 적용됨을 의미합니다. 증분 버전의 결과는 배치 버전의 결과의 근사치일 뿐이지만, 이 근사치는 종종 매우 효과적입니다. 이 섹션에서는 증분 버전에 초점을 맞춥니다.

## 비선형적으로 분리할 수 없는 훈련 세트에 대한 TLU 훈련

선형적으로 두 부분으로 나눌 수 없는 훈련 세트의 경우(노이즈의 결과이거나 근본적인 원인일 수 있음), 최적의 분리 하이퍼플레인을 찾는 것이 유용할 수 있습니다. 이는 분류 정확도를 향상시키는 데 도움이 됩니다. 오류 수정 알고리즘은 비선형적으로 분리 가능한 훈련 세트에 적용될 때 종종 효과가 떨어집니다. 이는 불가피한 오류를 지속적으로 수정하려는 시도 때문에 하이퍼플레인이 만족스러운 위치에 정착하지 못하기 때문입니다. 이 문제를 해결하기 위한 몇 가지 접근법이 제안되었습니다. 예를 들어, 비선형적으로 분리 가능한 문제에 대해 평균 제곱 오차를 최소화하는 가중치 벡터를 제공하는 위드로-호프 방법이 있습니다.

## TLU 네트워크

선형적으로 분리할 수 없는 훈련 세트에 포함된 모든 패턴을 정확하게 분류하려면, 단일 하이퍼플레인보다 더 복잡한 구분면이 필요합니다. 이를 위한 한 가지 방법은 TLU의 네트워크를 사용하는 것입니다. 예를 들어, 2차원 짝수 패리티 함수는 단일 TLU로는 해결할 수 없는 복잡한 문제입니다. 그러나 세 개의 TLU로 구성된 네트워크는 이 문제를 해결할 수 있습니다.

### 그림으로 이해하기

그림 3.7은 짝수 패리티 함수를 해결하기 위한 TLU 네트워크를 보여줍니다. 각 TLU의 입력과 임계값은 네트워크가 어떻게 구성되어 있는지, 그리고 각 TLU에 할당된 가중치가 네트워크의 기능에 어떤 영향을 미치는지를 설명합니다.

이러한 네트워크는 복잡한 함수를 구현하는 데 필요한 다양한 구성 요소와 토폴로지를 통해, 선형적으로 분리할 수 없는 문제에 대한 효과적인 해결책을 제공합니다. TLU 네트워크의 설계와 최적화는 머신러닝 시스템의 성능을 극대화하는 데 중요한 요소입니다.

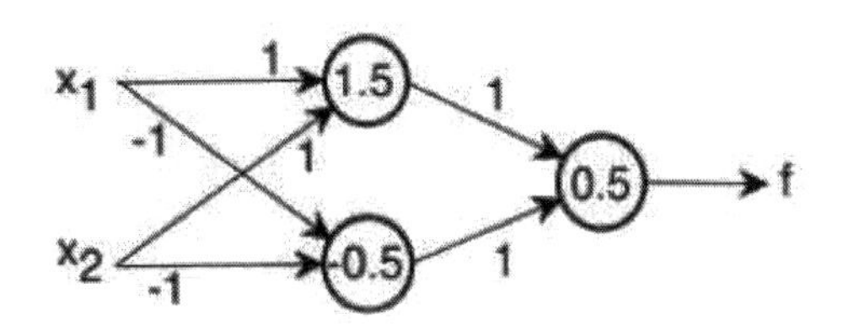


**그림 3.7**: 짝수 패리티 함수를 위한 네트워크
출처: 머신러닝 데이터 수집 및 처리 소개
Nils J. Nilsson 2020

여기서 그림 3.7은 계층화된 피드포워드 네트워크를 보여줍니다. 이 네트워크는 다층 구조로 이루어져 있으며, 일부는 이를 3계층 네트워크로 분류합니다. 이는 TLU의 수준을 계산하고 입력 또한 하나의 레이어로 간주하기 때문입니다. 대부분의 피드포워드, 계층화된 네트워크의 구조는 그림 3.8에서 볼 수 있는 것과 유사합니다. "숨겨진" 단위는 모든 TLU

를 지칭하는 데 사용되는 용어로, 이는 "출력" 단위가 이를 볼 수 없기 때문입니다.

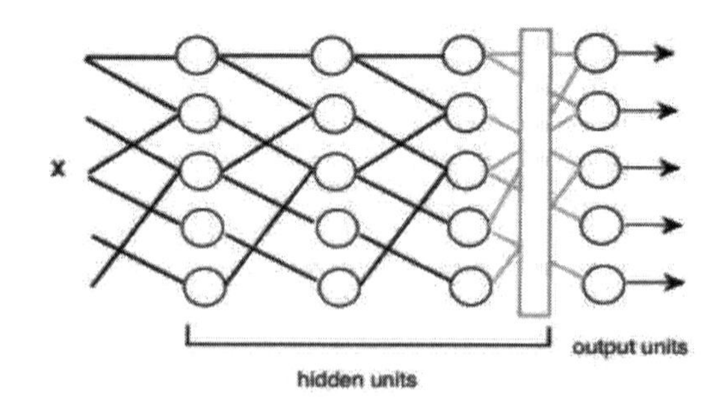


**그림 3.8**: 계층화된 피드포워드 네트워크
출처: 머신러닝 데이터 수집 및 처리 소개 Nils J. Nilsson 2020

k항 DNF(Disjunctive Normal Form) 함수는 k개의 항을 갖는 DNF 함수입니다. 하나의 출력 단위와 숨겨진 레이어에 위치한 k개의 단위로 구성된 2계층 네트워크를 사용하여 k항 DNF 함수를 구현할 수 있습니다. 숨겨진 계층의 k개 단위는 k항을 구현하는 데 사용되며, 하나의 출력 단위는 이 항들을 종합하는 데 사용됩니다. 모든 부울 함수는 DNF 형식을 가질 수 있으므로, 네트워크가 충분히 크다면 모든 부울 함수는 2계층 TLU 네트워크로 구현 가능합니다.

예를 들어, 함수

$f=x_1x_2+x_2x_3+x_1x_3$와 관련된 작업을 수행하는 네트워크의 구조는 그림 3.8에 나와 있습니다. 이 네트워크는 k항 DNF 함수를 실행할 수 있는 2계층 네트워크를 훈련시키기 위해, 출력 단위가 분리 작업을 수행할 수 있어야 합니다. 이 과정에서 최종 레이어의 가중치는 고정되어 있어야 합니다. "임계값 가중치"는 첫 번째 레이어에서 -1 또는 0의 값만 가질 수 있는 유일한 가중치입니다.

시작 레이어의 TLU 수가 충분하지 않으면 추가 레이어를 더해도 차이를 메울 수 없습니다. 첫 번째 TLU 레이어는 특징 공간을 분리하여 같은 영역에서 레이블이 다른 두 벡터를 찾을 수 없도록 합니다. 이는 TLU의 첫 번째 계층이 두 벡터가 각 단위에서 동일한 출력 세트를 생성하지 않도록 보장함을 의미합니다.

2계층 네트워크는 다양한 계층을 가진 피드포워드 네트워크의 흥미로운 예입니다. 숨겨진 단위의 수가 홀수일 때, 출력 단위는 '투표'하는 TLU 역할을 합니다. 위드로는 여러 개의 아달린으로 구성된 네트워크를 '마달린'이라고 불렀습니다.

리지웨이는 마달린에 포함된 숨겨진 단위의 가중치를 조정하기 위한 오류 수정 규칙을 제안했습니다. 이는 올바르게 투표하는 다수의 단위에 기반하여 적절한 숨겨진 단위에 대해서만 오류 보정을 수행하고, 투표에 가장 영향을 미치기 어려운 숨겨진 단위에 대한 조정을 수행하는 것을 포함합니다.

이 접근 방식은 훈련 집합의 모든 구성원을 적절하게 분류할 수 있는 마달린 구조에 대한 가중치 집합을 찾는 데 성공하지 못하는 경우도 있지만, 대부분의 평가에서는 이 방법이 성공적이라고 보고합니다. 출력 TLU에 or 함수 또는 and 함수가 포함된 경우, 이 훈련 방법을 수정해야 할 수도 있습니다.

### 3.7 조각별 선형 기계 (Piecewise Linear Machine, PWL)

만약 어떤 훈련 집합이 두 가지 범주로 구성되어 있고, 각 범주의 개체를 안정적으로 식별할 수 있는 임계값 함수가 존재한다면, 이 훈련 집합은 선형 분리 가능성을 가진다고 할 수 있습니다. 비슷하게, R 카테고리에 대해 선형적으로 분리 가능한 훈련 세트가 존재한다면, 해당 세트는 적절한 선형 기계를 통해 모든 구성원을 정확하게 분류할 수 있습니다. 하지만, 선형적으로 분리할 수 없는 경우 더 강력한 분류기가 필요하며, 그림 3.9에서 볼 수 있는 조각별 선형 기계 (Piecewise Linear Machine, PWL 머신)이 그 옵션 중 하나입니다.

PWL 머신은 R 카테고리 각각에 대응하는 R개의 뱅크로 배열된 가중치 합산 단위를 사용합니다. 입력 벡터 X는 가중 합계가 가장 높은 뱅크에 해당하는 클래스로 분류됩니다. 오류 수정 학습 방법을 사용하여, 잘못 분류된 패턴의 경우, 해당 패턴 벡터를 가장 큰 도트 곱을 생성한 잘못된 가중치 벡터에서 빼고, 올바른 분류를 위한 뱅크의 가중치 벡터에 더합니다.

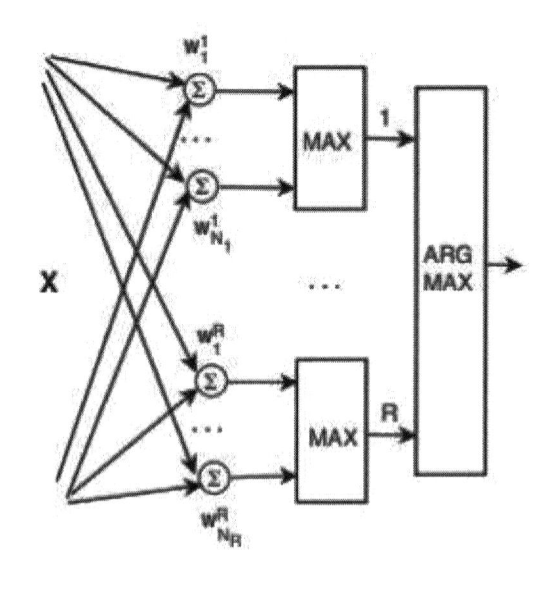


그림 3.9: 조각별 선형 기계
출처: 머신러닝 데이터 수집 및 처리 소개 Nils J. Nilsson 2020

## 3.8 캐스케이드 네트워크 (Cascade Network)

캐스케이드 네트워크는 모든 TLU가 특정 순서대로 배열되어 있고, 각 TLU가 모든 패턴 구성 요소뿐만 아니라 순서상 아래에 있는 모든 TLU로부터 입력을 받는 피드포워드 네트워크의 하위 유형입니다. 이 네트워크 유형은 특정 작업에 대해 TLU를 순차적으로 훈련시키는 방식으로 작동합니다.

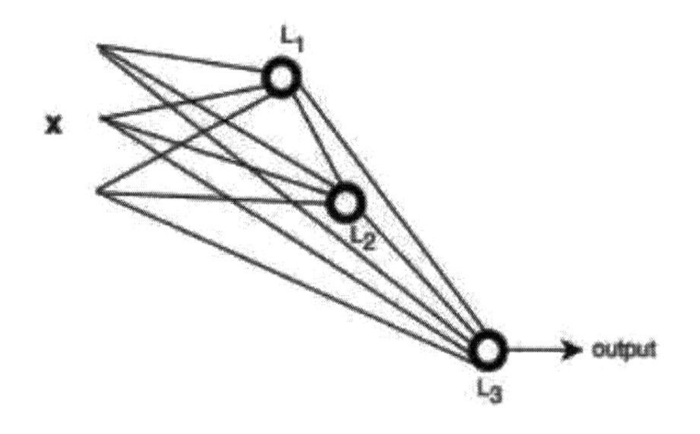


**Figure 3.10: A Cascade Network**

**그림** 3.10: 캐스케이드 네트워크
출처: 머신러닝 데이터 수집 및 처리 소개 Nils J. Nilsson 2020

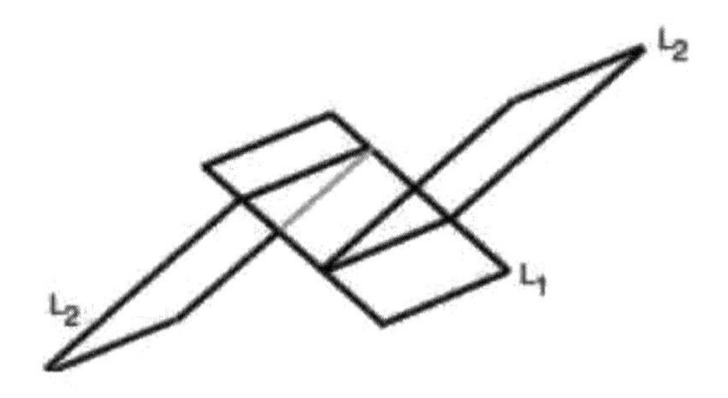


**그림 3.11**: 두 개의 TLU가 있는 캐스케이드 네트워크로 구현된 평면도
출처: 기계학습 데이터 수집 및 처리 소개 Nils J. Nilsson 2020

## 3.9 역전파를 통한 피드포워드 네트워크 훈련 (Training Feedforward Networks with Backpropagation)

다층 TLU 네트워크를 효과적으로 훈련하는 것은 어려운 작업입니다. 오류 발생 시, 네트워크를 올바른 방향으로 조정할 수 있는 가중치 조정 알고리즘을 찾는 것이 중요합니다. 경사하강법을 일반화한 역전파 알고리즘은 이 목적을 위해 널리 사용됩니다. 이 알고리즘은 네트워크의 각 가중치에 대한 오류의 영향을 계산하고, 이를 최소화하기 위해 가중치를 조정합니다.

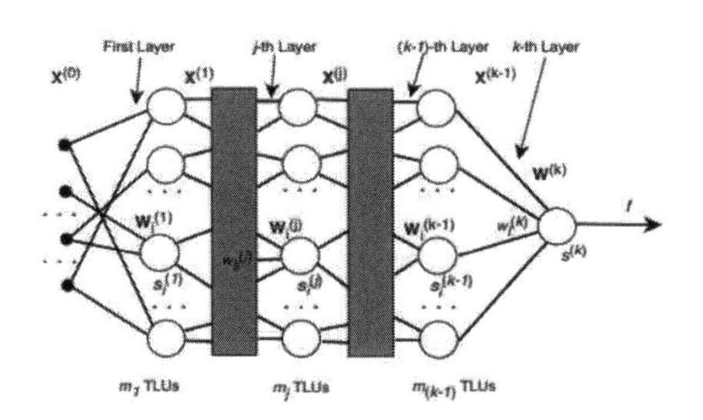


**그림 3.12**: K-층 네트워크
출처: 머신러닝 데이터 수집 및 처리 입문 Nils J. Nilsson 2020

역전파는 네트워크의 출력에서 발생한 오류를 입력 층으로 거슬러 올라가며 가중치를 조정하는 방식으로 작동합니다. 이 과정은 네트워크가 주어진 훈련 집합에 대해 최적의 성능을 내도록 합니다. 시뮬레이션 어닐링을 통해 학습률을 점진적으로 감소시키면, 네트워크는 오류 함수의 글로벌 미니멈에 접근할 수 있습니다.

## 3.10 응용: ALVINN (Autonomous Land Vehicle In a Neural Network)

ALVINN(자율 주행 육상 차량의 신경망)은 일반 도로와 고속도로에서 최대 시속 55마일로 쉐보레 밴을 효과적으로 조종하도록 훈련된 신경망 시스템입니다. 이 시스템은 저해상도(30 x 32)의 텔레비전 카메라 이미지를 데이터 소스로 사용하며, 이 카메라는 차량의 전방을 향해 설치됩니다. 이 이미지들은 신경망에 대한 960차원 입력 벡터의 흐름을 생성하며, 네트워크는 숨겨진 유닛과 출력 유닛 모두 시그모이드 함수를 사용합니다. 첫 번째 계층에는 5개의 숨겨진 유닛이 있고, 두 번째 계층에는 차량의 회전 각속도를 조절하는 30개의 출력 유닛이 있습니다.

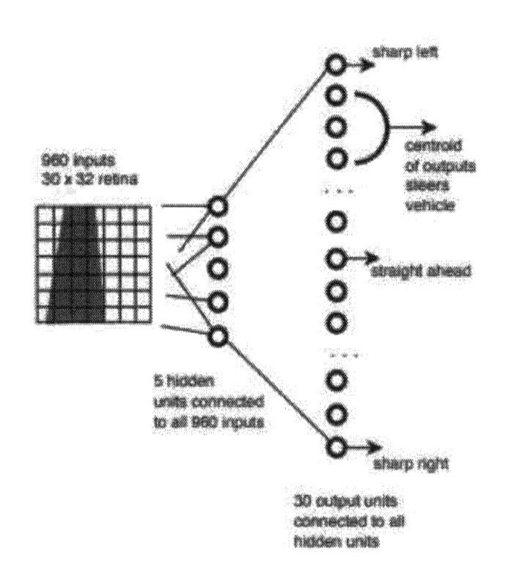


**그림 3.13**: ALVINN 네트워크
출처: 머신러닝 데이터 수집 및 처리
소개, 출처: Nils J. Nilsson 2020

ALVINN 시스템은 실시간으로 운전자가 지정한 스티어링 각도에 따라 반응하며, 운전자의 조향 각도를 학습 데이터로 사용하여 네트워크를 점진적으로 학습시킵니다. 이 과정은 운전자가 우수한 운전 습관을 가지고 있다고 가정하며, 따라서 네트워크는 차량이 도로 중앙에서 벗어나거나 잘못된 방향으로 가는 상황을 경험하지 않습니다. 이러한 한계를 극복하기 위해, 원본 이미지를 변형하여 차량이 도로에 다양한 위치에 있는 것처럼 보이게 하는 14개의 새로운 이미지를 생성하고, 이를 통해 네트워크가 더 다양한 운전 상황에 대응할 수 있도록 합니다.

## 3.11 통계적 학습

패턴 벡터 X가 무작위 변수이며, 카테고리 1과 카테고리 2의 확률 분포가 다르다고 가정할 때, 통계적 방법을 사용하여 패턴이 어느 카테고리에 속하는지 결정할 수 있습니다. 이는 두 확률 분포 $p(X \mid 1)$ 및 $p(X \mid 2)$를 사용하여, 주어진 패턴 X가 어떤 분포에서 유래했는지 추론하는 과정입니다. 이 과정은 가우스 분포를 예로 들어 설명할 수 있으며, 공분산 행렬이 대각선인 경우와 아닌 경우를 구분하여, 패턴 벡터가 어떤 카테고리에 속하는지 결정하는 결정 규칙을 도출할 수 있습니다.

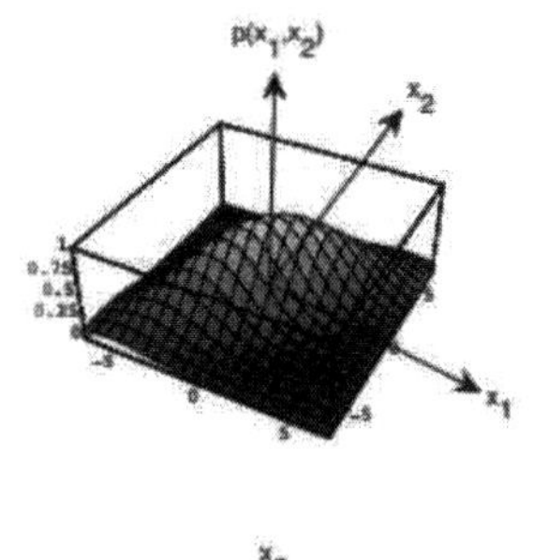


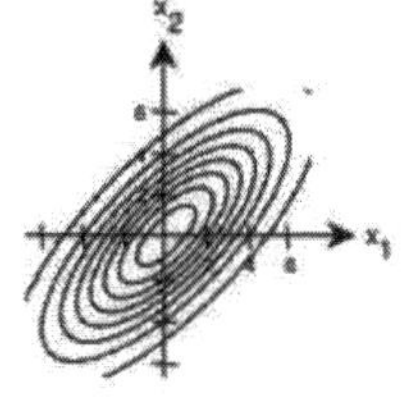


**그림 3.14**: 2차원 가우스 분포
출처: 머신러닝 데이터 수집 및 처리 소개 Nils J. Nilsson, 2020

이 결정 규칙은 패턴 벡터가 각 카테고리의 확률 분포에 따라 어떻게 분포하는지에 기반하여, 패턴을 가장 적합한 그룹으로 분리하는 방법을 제공합니다. 이러한 통계적 접근 방식은 패턴 인식과 기계학습 분야에서 중요한 기초를 형성하며, 다양한 응용 분야에서 활용됩니다.

## 3.12 학습 신념 네트워크

통계적 방법은 메모리 기반 기법과 최인접 이웃 기법과 같은 다른 분류 접근 방식과 관련될 수 있습니다. 이러한 기법들은 새로운 패턴 X가 훈련 집합에서 가장 가까운 이웃 패턴과 동일한 범주에 속하는지 여부를 결정하는 데 사용될 수 있습니다. 특히, k-최근이웃 접근 방식(K-NN)은 새로운 패턴 X를 그것의 k-최근이웃 대다수가 속해 있는 범주에 할당합니다.

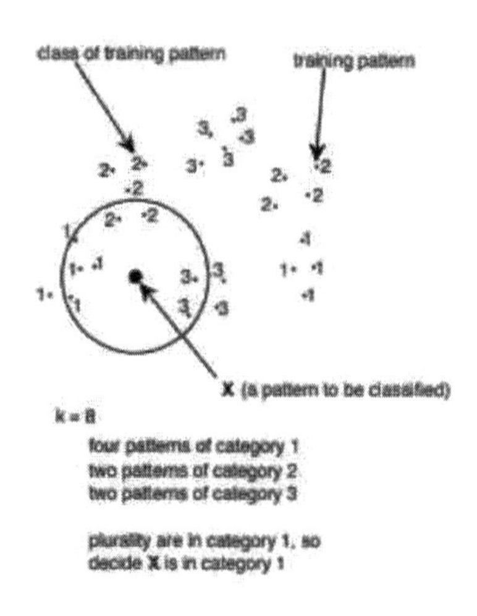


**그림 3.15**: K가 8인 KNN의 결정
출처: 머신러닝 데이터 수집 및 처리 소개 Nils J. Nilsson 2020

k의 높은 값은 X 근처의 잡음에 의한 영향을 줄이지만, 너무 높은 k 값은 분류의 선명도를 감소시킵니다. 이 접근법은 클래스에 대한 확률 값을 추정하는 방법으로 볼 수 있으며, X 주변에 배치된 점들이 서로 가깝고 k의 값이 클수록 추정치는 더 정확해집니다.

최근접 이웃 알고리즘은 저장해야 하는 훈련 패턴의 수가 많기 때문에 상당한 메모리 요구 사항을 가집니다. 그러나 메모리 비용의 감소로 인해 이 방법과 그 파생 알고리즘들은 현실 세계의 다양한 시나리오에서 사용되고 있습니다.

## 4.1 소개

의사 결정 트리는 내부 노드는 (입력 패턴에 대해 수행되는) 테스트를 나타내고 외부 노드는 (패턴의) 범주를 나타내는 트리 유형입니다. 가장 기본적인 형태의 의사 결정 트리는 다음과 같이 설명할 수 있습니다. 이 개념은 참조를 위해 그림 4.1에 나와 있습니다. 의사 결정 트리는 먼저 트리에 포함된 모든 테스트를 테스트가 제시된 순서와 동일한 순서로 내림차순으로 실행한 후 입력 패턴에 클래스 번호(출력이라고도 함)를 할당합니다. 한 테스트의 결과는 다른 테스트의 결과와 결합할 수 없으므로 각 테스트의 결과는 완전한 것으로 간주됩니다.

예를 들어, 그림 4.1에 표시된 트리의 테스트 T2에는 세 가지 결과가 발생할 수 있습니다. 왼쪽의 테스트는 입력 패턴을 클래스 3에 할당할 수 있고, 가운데의 테스트는 패턴을 테스트 T4로 전송할 수 있으며, 오른쪽의 테스트는 패턴을 클래스 1에 할당할 수 있습니다. 일반적으로 표준으로 간주되는 관행에 따라 클래스 번호와 함께 리프 노드를 표시합니다. 여러분들은 이러한 의사 결정 트리를 논의할 때 부울 함수의 구현에 대한 논의에만 국한되지 않는다는 점을 명심해야 합니다. 각 테스트의 결과는 독립적이며, 한 테스트의 결과는 다른 테스트의 결과와 결합할 수 없습니다. 의사 결정 트리는 다양한 함수를 구현하는 데 유용하며, 각각의 영역에서 가치가 있습니다. 이러한 트리는 데이터를 분류하고, 패턴을 인식하며, 의사 결정 과정을 자동화하는 데 사용될 수 있습니다.

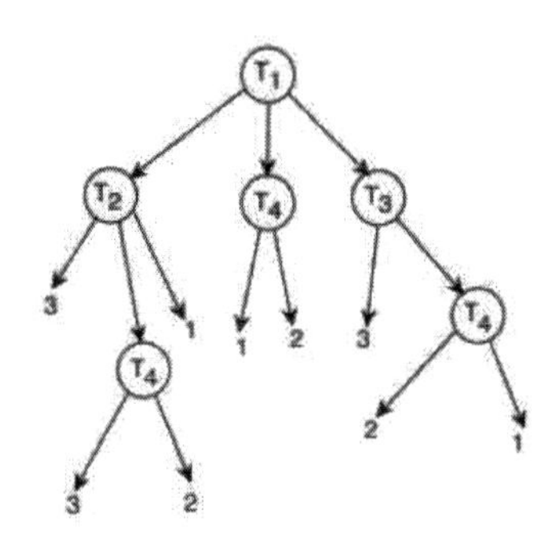


**Figure 4.1: A Decision Tree**

**그림 4.1**: 의사 결정 트리
출처: 머신러닝 데이터 수집 및
처리 소개 Nils J. Nilsson
2020

이 과정은 단변수 부울 의사 결정 트리가 수행하는 기능을 DNF(Disjunctive Normal Form, 논리합 정규형) 형식으로 쉽게 표현할 수 있음을 의미합니다. 트리가 단 하나의 기능만을 수행하기 때문에, 출력 값 1에 해당하는 리프 노드로 이어지는 각 경로를 따라 테스트의 결합을 생성하고, 이 결합들의 논리합을 구하는 것이 해당 트리가 구현하는 DNF 형식을 도출하는 방법 중 하나입니다.

입력 패턴의 속성이 0일 경우 왼쪽 가지를, 속성이 1일 경우 오른쪽 가지를 선택합니다. 이는 특성이 이진(binary)일 때 테스트가 속성 값이 0인지 1인지를 판단하는 것으로 구성된다는 것을 의미합니다. 범주형(categorical) 속성의 경우, 테스트는 속성 값을 서로 배타적인 하위 집합으로 분할하여 구성할 수 있습니다.

의사 결정 트리 학습에서 가장 어려운 부분 중 하나는 어떤 순서로 테스트를 수행해야 하는지 결정하는 것입니다. 이는 각 시나리오에 대해 두 가지 가능한 결과가 존재하기 때문입니다. 순서 결정 외에도, 속성의 범주적 및 수치적 측면에 사용될 평가 기준을 선택하는 것도 중요합니다. 여러 접근 방식이 있으나, 각 단계에서 엔트로피 감소가 가장 큰 테스트를 선택하는 방법이 가장 유익한 것으로 입증되었습니다.

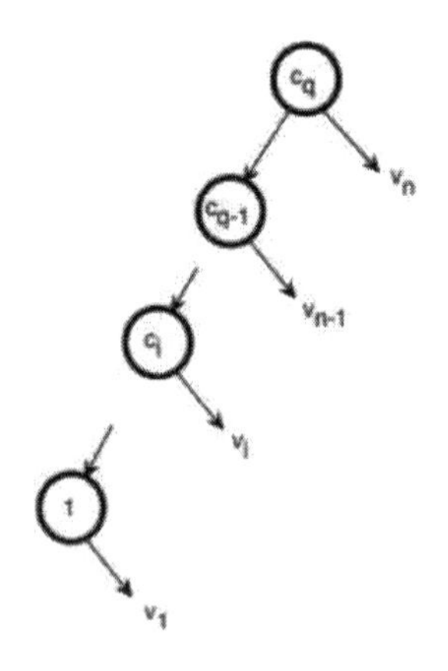


**그림 4.2**: 의사 결정 목록을 구현하는 의사 결정 트리
출처: 머신러닝 데이터 수집 및 처리 입문 Nils J. Nilsson 2020

속성이 연속적인 수치를 가질 때, 임계값을 설정하는 것이 테스트에서 수행해야 할 첫 번째 단계입니다. 이후에는 해당 속성의 값이 임계값보다 큰지 또는 작은지를 결정합니다. 레이블이 지정된 패턴 집합이 있을 경우, 각 임계값이 각 테스트와 관련된 불확실성을 어느 정도 감소시키는지 계산할 수 있습니다. 이는 훈련 패턴이 유한하므로, 다른 테스트 결과를 생성하는 임계값의 수도 한정됩니다.

속성이 범주형일 경우, 속성의 값은 서로 배타적이고 완전한 하위 집합으로 나눌 수 있으며, 각 분할의 결과로 줄어든 총 불확실성의 비율을 계산할 수 있습니다. 이러한 접근 방식을 통해, 의사 결정 트리는 데이터의 복잡한 구조를 효과적으로 모델링하고 예측할 수 있습니다.

## 4.2 의사 결정 트리와 실제로 동일한 네트워크

DNF(Disjunctive Normal Form, 논리합 정규형) 함수의 구현체인 단변량 부울 의사 결정 트리와 2계층 피드포워드 신경망은 서로 비교 가능합니다. 이는 모든 입력 패턴에 대해 모든 특성이 병렬로 평가되는 네트워크와 달리, 의사 결정 트리에서는 입력 패턴이 통과하는 분기에 있는 특성만 평가되기 때문입니다. 따라서, 의사 결정 트리 유도 기법을 네트워크의 구조와 가중치 값을 찾는 특별한 방법으로 간주할 수 있습니다.

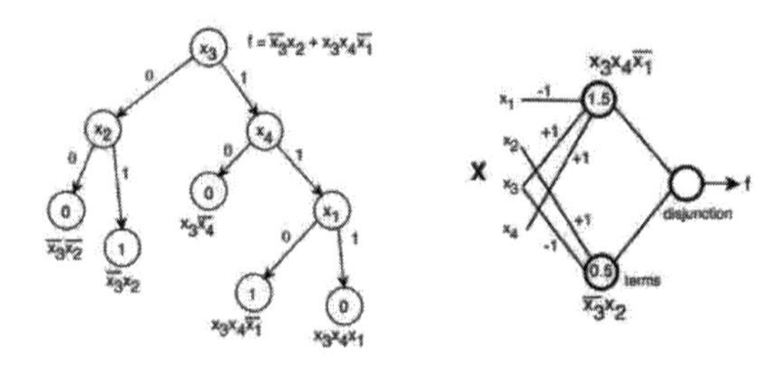


**그림 4.3**: 단변량 의사 결정 트리와 그에
상응하는 네트워크
출처: 머신러닝 데이터 수집 및 처리 입문,
Nils J. Nilsson 2020

3계층으로 구성된 피드포워드 네트워크를 사용하여 각 노드에서 선형적으로 분리 가능한 함수를 갖는 다변량 의사 결정 트리를 생성하는 것도 가능합니다. 이러한 네트워크에서는 마지막 레이어의 가중치가 미리 설정되며, 나머지 두 레이어의 가중치는 훈련을 통해 결정됩니다.

지도 학습에서는 제공된 데이터에 적합한 함수를 선택하는 과정이 중요하며, 이 과정에서는 편향 없이는 일반화가 불가능하다는 것이 입증되었습니다. 즉, 추측하려는 함수의 값이 가능한 모든 함수의 작은 부분 집합에 속한다는 선험적 지식이 있을 때만 유용한 추측을 할 수 있습니다.

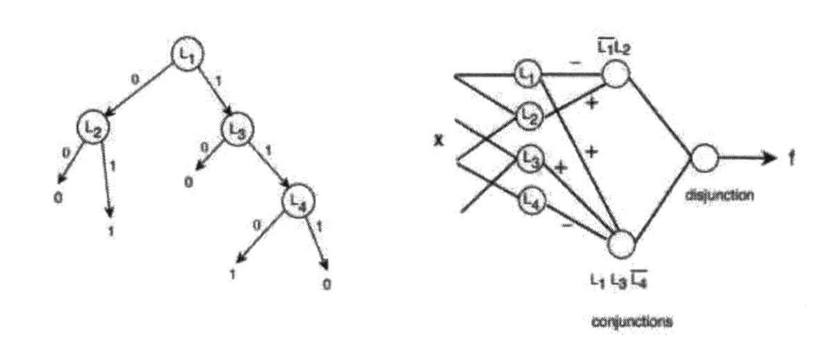


**그림 4.4**: 다변량 의사 결정 트리와 그에 상응하는 네트워크
출처: 머신러닝 데이터 수집 및 처리 소개, Nils J. Nilsson 2020

훈련 집합의 크기가 클수록 일관된 함수가 아직 관찰되지 않은 패턴에 대해 적절한 출력을 제공할 가능성이 커집니다. 그러나 편향이 있더라도 훈련 집합의 크기가 충분히 크지 않으면 일관된 함수가 너무 많아 일반화 성능이 저하됩니다.

충분한 크기의 의사 결정 트리는 모든 부울 함수를 구현할 수 있지만, 이는 과적합의 위험을 수반합니다. 즉, 의사 결정 트리가 훈련 집합의 모든 구성원을 정확하게 분류하더라도,

새로운 패턴에 적용할 때 성능이 저하될 수 있습니다.

과적합 문제에 대한 해결책 중 하나는 모든 패턴이 완전히 분류되기 전에 테스트 생성 프로세스를 중단하는 것입니다. 이렇게 하면 리프 노드에 둘 이상의 클래스와 연관된 패턴이 포함될 수 있지만, 가장 많이 발생하는 클래스를 선택할 수 있습니다.

교차 검증을 포함하는 방법을 사용하여 노드 분할을 중지하는 것이 안전한지 결정할 수 있습니다. 과적합보다 과소적합이 테스트 세트에서 더 많은 오류를 초래하는 경우가 많으므로, 중단 시점을 결정할 때는 신중해야 합니다.

충분한 크기의 의사 결정 트리는 모든 부울 함수를 구현할 수 있으며, 특히 훈련 집합의 크기가 제한되어 있는 경우 과적합이 발생할 가능성이 있습니다. 이는 새로운 패턴에 적용할 때 성능이 저하될 수 있음을 의미합니다. 과적합 문제에 대한 해결책 중 하나는 모든 패턴이 완전히 분류되기 전에 테스트 생성 프로세스를 중단하는 것입니다, 이렇게 하면 리프 노드에 둘 이상의 클래스와 연관된 패턴이 포함될 수 있지만, 가장 많이 발생하는 클래스를 선택할 수 있습니다.

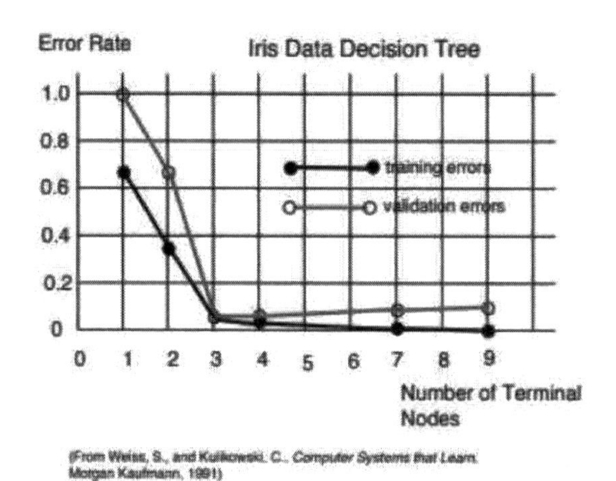


**그림 4.5**: 오버피팅이 시작되는 시기 결정하기
출처: 머신러닝 데이터 수집 및 처리 소개, Nils J. Nilsson 2020

이 과정은 교차 검증의 정확도가 더 이상 증가하지 않을 때까지 계속될 수 있습니다. 의사 결정 트리의 개발을 중단하는 대신, 의사 결정 트리가 최대 높이까지 성장할 수 있도록 하는 것이 가능합니다. 여기서 사후 가지치기(post-pruning)는

이 절차에 부여된 명칭입니다. 이 문서에서는 가지 치기 작업을 수행하기 위한 다양한 기법을 설명합니다. 일반적으로, 최소 설명 길이(Minimum Description Length, MDL)의 개념은 트리 가지치기 및 개발의 기본적인 접근 방식을 제공합니다. (MDL은 의사 결정 트리 기법을 넘어서 확장된 중요한 개념입니다).

가정하에, R 클래스 집합에서 각각 레이블이 지정된 m개의 숫자 목록만 전달하는 것이 얼마나 어려운지 생각해 보세요. 이 경우, m 로그2 R 비트가 필요합니다. 또 다른 옵션은 각 패턴을 정확하게 식별하는 의사 결정 트리를 제시하는 것입니다. 트리를 인코딩하는 데 사용되는 방법과 트리 자체의 크기가 이 전송에 필요한 비트 수를 결정합니다.

트리가 상대적으로 작고 모든 패턴을 정확하게 식별한다면, 트리를 전송하는 것이 레이블을 직접 전달하는 것보다 비용 효율적일 수 있습니다. 이 중간 옵션은 트리와 잘못 분류된 모든 패턴의 레이블 목록을 함께 전송하는 것입니다. 바이너리 인코딩된 메시지의 설명 길이, 즉 t + d는 트리를 전달하는 데 필요한 메시지의 길이(t)와 트리에서 잘못 분류된 패턴의 레이블을 전달하는 데 필요한 메시지의 길이(d)의 합입니다.

연결 수가 가장 적고 t와 d의 합이 가장 작은 트리는 어떤 의미에서 가장 좋은 트리, 즉 가장 비용을 절감할 수 있는 트리입니다. MDL 접근법은 Occam의 면도기 원칙을 응용한 많은 방법 중 하나입니다. Quinlan과 Rivest는 의사 결정 트리와 예외 레이블 목록을 인코딩하는 방법과 이러한 트리와 레이블의 설명 길이(t+d)를 찾는 방법을 제안했습니다.

데이터에는 노이즈가 있기 때문에, 어느 정도의 오류를 받아들여야 합니다. 배경 노이즈가 있을 때, 훈련 세트의 오류를 인정하지 않으면 "노이즈에 맞추기" 문제가 발생할 수 있습니다. 따라서, 리프 노드에서 일부 실수를 허용해야 합니다. 많은 연구에서 의사 결정 트리, 신경망, 최인접 이웃 분류기의 효율성을 평가하고 비교했습니다. StatLog 프로젝트는 다양한 범주의 문제에 적용된 다양한 머신러닝 알고리즘에 대한 심층적인 평가를 제공합니다.

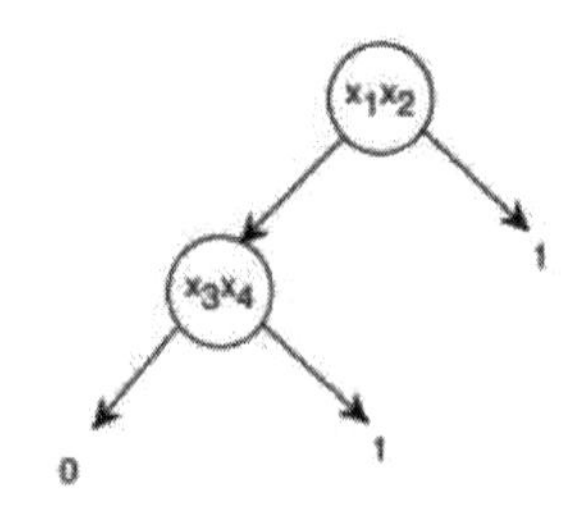


**그림** 4.6: 다변량 의사
결정 트리
출처: 머신러닝 데이터
수집 및 처리 소개, Nils J.
Nilsson 2020

모든 문제에 대해 다른 방법보다 우월한 단일 분류 접근 방식은 존재하지 않습니다. 연구자인 Quinlan은 의사 결정 트리 또는 역전파가 적합하지 않을 수 있는 문제의 속성에 대한 직관을 제공하였습니다.

데이터에 대한 훈련과 테스트 세트의 분할, 그리고 과적합을 피하기 위한 전략은 중요한 고려 사항입니다. 충분한 크기의 의사 결정 트리는 모든 부울 함수를 구현할 수 있지만, 과적합의 위험을 수반합니다. 따라서, 특정 지점에서 테스트 생성 프로세스를 중단하거나 사후 가지치기를 고려하는 것이 중요합니다.

## 4.3 유도 논리 프로그래밍(Inductive Logic Programming, ILP)

유도 논리 프로그래밍은 함수에 정보를 공급하는 데 사용되는 변수들이 해당 함수의 표현에 다양한 방식으로 영향을 미칠 수 있는 과정을 다룹니다. 컴퓨터 프로그램은 컴퓨터 과학에서 찾을 수 있는 가장 중요한 표현 중 하나입니다. 예를 들어, 부울 함수의 계산은 Lisp 술어(predicate)를 사용하여 수행될 수 있으며, 이 술어는 이진 값 인수를 포함하는 입력을 허용합니다. 논리 프로그램은 술어의 값이 참(True, T) 또는 거짓(False, F)인지 여부를 결정하는 데 사용될 수 있습니다.

귀납적 논리 프로그래밍(ILP)은 컴퓨터가 논리 프로그램을 학습하도록 훈련하는 과정에 초점을 맞춘 머신러닝의 한 분야입니다. ILP는 어떤 형태의 편향을 적용하지 않는 다고 가정했을 때, 현실에서 매우 어렵고 해결할 수 없는 문제를 해결하는 데 도움을 줍니다. ILP에서는 "배경 지식"이라고 불리는 추가 정보에 자주 액세스할 수 있으며, 이 정보는 학습 과정에서 중요한 역할을 합니다.

예를 들어, "nonstop(x,y)"라는 함수를 유도하려고 할 때, 이 함수는 직항 항공편으로 연결된 도시 쌍에 대해서는 참(T) 값을 갖지만, 다른 모든 가능한 도시 쌍에 대해서는 거짓(F) 값을 갖습니다. 훈련 세트는 긍정적인 예와 부정적인 예를 모두 포함하며, ILP는 이러한 예를 바탕으로 논리 프로그램을 학습합니다.

ILP에서 프로그램을 평가할 때는 프로그램에 배경 사실을 암시적으로 추가하고, 프로그램 인터프리터가 해당 입력에 대해 실제로 프로그램을 실행할 때 참(T)을 반환하는 경우에만 프로그램이 입력 집합에 대해 참(T) 값을 갖는다고 가정합니다.

논리 프로그램이 "인수를 커버한다"고 할 때, 이는 프로그램에 일련의 인자가 제공될 때 항상 참(T) 값을 반환한다는 의미입니다. 버전 공간과 관련하여, 프로그램이 모든 긍정적인 경우를 포함하고 부정적인 경우를 하나도 포함하지 않으면, 프로그램이 충분하면서도 필요한 조건을 만족한다고 할 수 있습니다.

배경 잡음이 없는 이상적인 시나리오 (즉, 중요한 변수로만 구성된 데이터)에서 분석의 목표는 충분하면서도 필요한, 일관된 예측/분류 프로그램을 생성하는 것입니다. 그러나 실제 상황에서는 배경 잡음(즉, 불필요한 데이터)이 존재하므로, 긍정적인 예의 일정 비율만을 커버하면서 부정적인 예를 모두 포함하지 않는 프로그램에 만족해야 할 수도 있습니다. 이러한 개념을 그래픽으로 나타낸 그림 4.7은 다이어그램입니다.

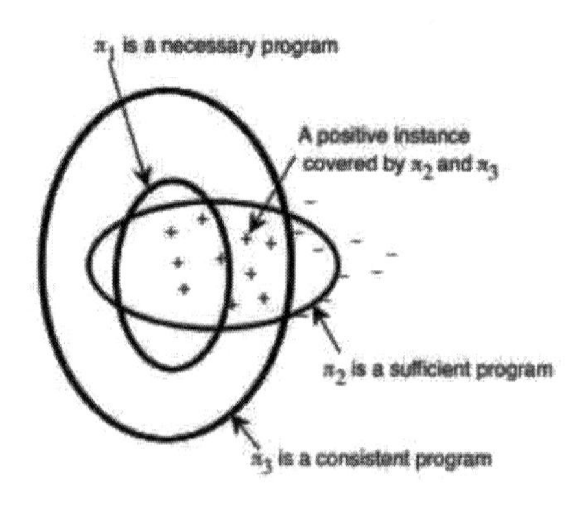


**그림 4.7**: 노이즈가 없는 이상적인 프로그램의 개념
출처: 머신러닝 데이터 수집 및 처리 입문, Nils J. Nilsson 2020

위의 그림 4.7은 노이즈가 없는 데이터에서 이상적인 분류 프로그램(일관된 프로그램)을 도식으로 나타낸 것입니다. ILP는 논리 프로그램을 학습하는 과정에서 이러한 개념을 적용하여, 주어진 훈련 데이터와 배경 지식을 바탕으로 함수의 행동을 예측할 수 있는 프로그램을 생성합니다.

무언가를 일반화할 때는 프로그램 문에 절(clause)을 추가하고, 무언가를 전문화할 때는 문구의 주요 부분에 리터럴

(literal)을 추가합니다. 이 프레젠테이션에서는 이 두 가지 옵션의 장점을 결합한 유도 논리 프로그래밍(ILP) 학습 접근 방식에 대해 설명합니다. 새 절을 삽입한 다음에는 항상 절에 [:-]를 추가하고, 그 후에 문장의 본문에 리터럴을 삽입하여 특수화할 것입니다. 따라서 리터럴을 추가하는 과정에 대한 개요를 제공하는 것만 기대할 수 있습니다. 절의 세분화는 전문화 연결을 활용하여 어느 정도 정리할 수 있습니다. 절 c1과 절 c2가 동일한 경우, 일반적인 의미에서 절 c1이 절 c2보다 더 특수합니다. 여기서 사용하는 특수한 경우는 c2 본문에 있는 리터럴 집합이 c1에 있는 리터럴 집합의 하위 집합인 경우 c1 절이 c2 절보다 더 특수하다는 것입니다.

세분화 그래프(refinement graph)는 부분적으로 정렬된 절들로 구성된 구조이며, 여기에 이러한 정렬 관계를 적용할 수 있습니다. 이 그래프에서 c1 절은 c2 절의 본문에 리터럴을 추가하여 c1 절을 c2 절에서 형성할 수 있는 경우에만 c2 절의 즉각적인 후속 절입니다. 이것이 바로 후계자의 존재에 대한 유일한 기준입니다. 절에 리터럴을 추가할 때 여러 가지 방법으로 특수화할 수 있으며, 세분화 그래프를 통해 이러한 특수화 방법을 알 수 있습니다. 재귀 논리를 사용하는 프로그램을 작성하는 것이 허용되는 경우, 리터럴 nonstop(x,z) 및 nonstop(z,y)도 포함할 수 있습니다.

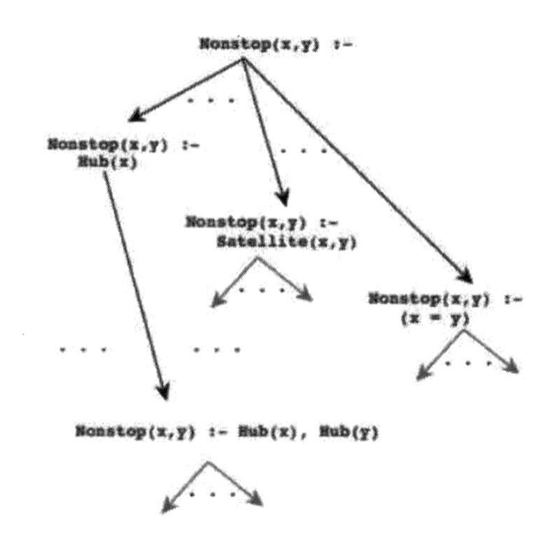


**그림 4.8**: 세분화 그래프의 일부
출처: 머신러닝 데이터 수집 및 처리 소개,
Nils J. Nilsson 2020

이제 여러분들은 저와 함게 아이디어를 종이에 적고 논리 프로그램을 유도하는 간단한 일반 기법, 흔히 "관계 유도"라고도 함을 고안해 보겠습니다. 기호로 표시되는 훈련 집합이 주어지며, 이 훈련 집합은 관계에 있는 것으로 알려진 인자 집합과 관계에 없는 인자 집합으로 구성됩니다. 기호 +로 표시된 인스턴스는 양수이고 기호 -로 표시된 인스턴스는 음수입니다. 또한 기호로 표시된 테스트 집합이 제공되며, 이는 인수 집합으로 구성되며, 그 중 일부는 관계에 없는 것으로 알려져 있습니다.

알고리즘의 외부 루프는 "점점 더 충분한" 문장을 만들기 위해 더 많은 절을 차례로 추가하는 역할을 합니다. 여기에는 점점 더 많이 요구되는 문장 c를 생성하는 내부 루프가 있으며, 이 문장은 학습 인스턴스의 특정 하위 집합인 cur만을 참조합니다. 훈련이 진행됨에 따라 이 조항의 필요성이 더욱 분명해집니다. 알고리즘에는 배경 관계에 대한 액세스 권한이 주어지며 구문에 리터럴을 추가할 수 있는 기능도 제공됩니다.

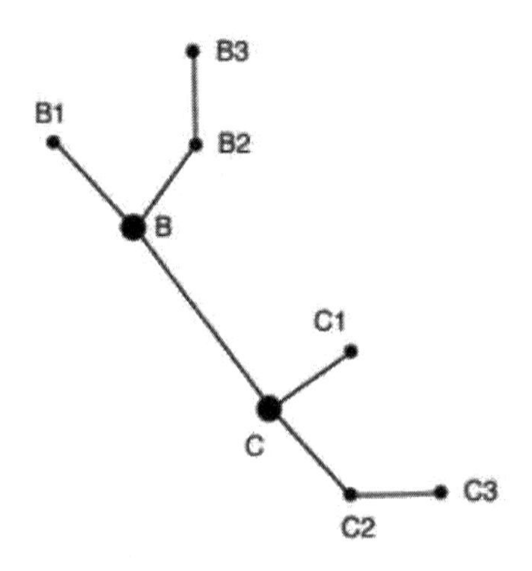


**그림 4.9**: 다른 항공사 노선도
출처: 머신러닝 데이터 수집 및 처리 소개,
Nils J. Nilsson, 2020

재귀 프로그램을 유도하기 위해 문장 맨 위에 위치한 술어 문자와 동일한 술어 문자를 가진 리터럴을 포함할 수 있도록 합니다. 이러한 프로그램이 실행을 완료하도록 보장하기 위해 여러 가지 절차를 사용해야 합니다. 이러한 방법 중 하나는 새 리터럴에 포함된 변수가 헤드 리터럴에 존재하는 변수와 다른지 확인하는 것입니다. 이 그림은 항공사 맵을 사용하는 그림으로 진행하지만, 필요한 확장 관계의 수를 줄이기 위해

맵을 조금 덜 복잡하게 만들었습니다.

## 4.4 추가할 리터럴 선택

연구자 Quinlan이 개발하여 1990년에 발표한 FOIL은 선구적인 ILP 시스템 중 하나로 간주됩니다. 내부 루프에 포함될 수 있는 옵션 중에서 리터럴을 선택하는 방법을 결정하는 과정은 극복해야 할 상당한 장애물을 제시합니다. 문제의 리터럴을 내부 루프에 통합해야 하기 때문입니다. FOIL에서 퀸란은 정보 유사 측정값을 사용하여 후보 리터럴을 비교할 수 있다는 개념을 만들었습니다. 이 측정값은 의사 결정 트리를 생성하는 과정에서 사용되는 측정값과 유사합니다. 퀸란의 방법과 동일한 비교를 하는 측정값은 리터럴을 추가하면 새 절이 적용되는 인스턴스 중에서 무작위로 선택된 인스턴스가 리터럴을 추가하기 전의 확률보다 양의 인스턴스가 될 확률이 증가하는 정도를 기반으로 합니다.

이 측정값은 리터럴을 추가하면 새 절이 적용되는 인스턴스 중에서 무작위로 선택된 인스턴스가 양의 인스턴스인 확률이 증가하는 정도를 기반으로 합니다. 이 측정값은 리터럴을 추가하면 새 절에 포함된 인스턴스 중에서 무작위로 선택된 인스턴스가 양수 인스턴스일 확률이 향상되는 양을 기준으로 합니다. 이 측정은 리터럴을 추가하면 확률이 증가하는 양을 기반으로 합니다. 리터럴이 삽입되기 전에 절에 포함된 예제 풀에서 긍정적인 인스턴스가 무작위로 선택될 확률의 추정치를 문자 p로 나타낸다고 가정해 보겠습니다. 이 문자는 절에 포함된 인스턴스 풀에서 긍정적인 인스턴스가 무작위로 선택될 가능성을 나타냅니다. 다시 말해, p는 해당 절에 포함된 총 인스턴스 수와 해당 절에 포함된 긍정적 발생 수의 비율과 같습니다.

이 가능성을 기술적으로 "확률 형식"이라고 부르는 것으로 제공하면 더 쉽게 이해할 수 있습니다. 포함된 인스턴스가 양수 값을 가질 확률은 기호 o로 표시되며 다음과 같이 계산할 수 있습니다: o = p / (1 p). 확률을 확률로 표현하면 p = o/(1 + o)라는 공식에 도달하게 되고, 이 공식은 우리가 찾고 있는 답을 제공합니다. 이전에 다루었던 경우 중 일부가

절에 추가할 문자 l을 선택한 후에도 여전히 다루어지는 경우가 있습니다. 이러한 경우 중 일부는 양수이고 일부는 음수입니다. 기호 pl을 사용하여 새 절(l이 추가된)이 포함할 상황의 무작위 샘플링에서 긍정적인 결과가 선택될 확률을 나타냅니다. 확률은 표에서 기호 ol로 표시됩니다.

우리는 문자 l로 지정될 리터럴을 찾고 있으며, 이 리터럴은 이러한 확률에 가능한 한 가장 큰 범프를 제공할 것입니다. 즉, l을 ol과 o의 곱으로 정의하려면 l에 의미 있는 값을 제공하는 리터럴이 필요합니다. l의 값을 높이려면 과거에 다루었던 상당수의 음수 인스턴스를 포함하지 않는 방식으로 절을 특화해야 합니다. 반면에, 이 조항은 과거에 포함되었던 대부분의 긍정적인 사례를 계속 포함해야 합니다. (퀸란의 정보 이론적 측정값은 l에 따라 점진적으로 증가하는 것으로 나타났으므로, 두 번째 선택지를 사용하는 것이 좋습니다.)

λl 값이 높은 리터럴을 찾는 것 외에도 Quinlan의 FOIL 시스템은 1) 이미 사용된 변수를 하나 이상 포함하고, 2) 선택

된 리터럴이 유도되는 리터럴과 술어 문자가 동일한 경우(무한 재귀를 방지하기 위해) 변수에 추가 제한을 두고, 3) 지금까지 선택된 리터럴의 λl 값에 기반한 가지치기 테스트에서 살아남는 리터럴로 선택의 폭을 제한합니다. 이러한 문제를 보다 심층적으로 다루려면 Quinlan의 책을 읽어보시기 바랍니다. 또한 Quinlan은 후처리 가지치기 접근법을 다루고 목록의 재귀 관계 학습, 체스 엔드게임 및 카드 게임 Eleusis의 규칙 학습, 그리고 머신러닝 문헌에서 논의된 몇 가지 다른 일반적인 작업에 적용된 방법에 대한 실험 결과를 제공합니다. 이러한 결과는 "Quinlan on Machine Learning"이라는 책에서 찾아볼 수 있습니다.

일반적인 ILP 기법은 그 목적을 더욱 명확히 하기 위해 의사 결정 트리 유도의 한 형태로도 해석될 수 있습니다. 기억을 되살리기 위해, 특성 값이 범주형일 때 의사 결정 트리를 도출하는 데 어려움이 있습니다. 단일 변수를 분할할 때 각 노드에서 분할하는 과정에는 해당 변수의 값이 완전하고 상호 배타적인 수많은 하위 집합 중 어느 집합에 속하는지를 결정하는 과정이 수반됩니다. 예를 들어, 한 노드가 변수 xi에 대한 테스트를 수행했는데 xi에서 값을 가져올 수 있는 경우, 가능한 분할 중 하나는 xi의 값이 "A, B, C" 중 하나를 값으로 갖는지 또는 "D, E, F" 중 하나를 값으로 갖는지에 기반할 수 있습니다. 두 개 이상의 변수 값을 동시에 테스트하는 다변량 분할도 활용할 수 있는 또 다른 방법입니다. 범주형 변수를 사용하는 경우, n-변수 분할은 변수 값이 다양한 n-아리 관계 중 어떤 관계를 충족하는지에 따라 결정됩니다.

이는 변수가 제시된 순서와 관계없이 수행됩니다. 예를 들어, 노드가 변수 xi와 xj를 확인했는데 xi와 xj 모두에서 값을 가져올 수 있는 경우, 가능한 이진 분할 중 하나는 xi와 xj가 관계를 만족하는지 여부에 따라 결정될 수 있습니다. 이것은 이진 분할이 결정되는 방법의 한 예일 뿐입니다. (단일 변수 분할을 구성하는 하위 집합 접근 방식도 일반적으로 속성이라고 하는 1항 관계를 사용하여 동일한 방식으로 구조화되었을 수 있다는 점을 염두에 두어야 합니다.) 이 프레임워크 내에서 ILP 문제는 다음과 같이 설명할 수 있습니다: 문자로 표시된 훈련 집합이 주어졌습니다. 이 집합은 양수 및 음수 레이블이 지정된 패턴으로 구성되며, 이러한 패턴의 구성 요소는 변수 모음에서 선택됩니다.

긍정적으로 식별된 패턴은 함께 모여 관계 R의 확장 특성화를 생성합니다. 또한 이러한 변수의 여러 고유한 하위 집합에 대한 배경 관계 R1, Rk가 제시됩니다. (이것이 의미하는 바는 이러한 관계와 관련된 튜플 집합이 우리에게 전달된다는 것입니다.) 우리는 R이 긍정적으로 레이블이 지정된 패턴은 모두 충족하지만 부정적으로 레이블이 지정된 패턴은 하나도 충족하지 않는 방식으로 R1 Rk의 관점에서 R의 의도적인 정의를 개발하고자 합니다. 다시 말해, R을 "긍정적으로 레이블이 지정된 패턴은 모두 충족하지만 부정적으로 레이블이 지정된 패턴은 하나도 충족하지 않는 것"으로 정의하고 싶다는 것입니다. 다시 말해, R이 모든 패턴을 모두 충족할 수 있어야 한다는 뜻입니다. 의도적인 정의는 논리 프로그램으로 표현되며, 관계 R은 배경 관계로 구성된 하위 절 그룹의 선행 절 역할을 합니다.

이 하위절 그룹이 의도적 정의를 구성합니다. 의사 결정 트리의 각 노드는 본질적으로 하위 의사 결정 트리이며, 각 하위 의사 결정 트리는 배경 관계인 Ri를 사용하여 여러 가지 변수에 대해 이진 분할을 생성하는 노드로 구성됩니다. 일반적으로 ILP로 알려진 접근 방식은 의사 결정 트리 유도로도 생각할 수 있습니다. 그 결과, 우리는 가장 높은 수준의 의사 결정 트리를 참조할 뿐만 아니라 낮은 수준의 수많은 의사 결정 트리를 참조할 것입니다. (의사 결정 트리는 실제로는 의사 결정 트리의 하위 집합인 의사 결정 목록이지만 대화 전체에서 계속해서 트리라고 부를 것입니다.) 의도적인 형태의 관계 R을 생성하는 것은 그림에 묘사된 의사 결정 트리를 고려함으로써 개념화할 수 있습니다.  이것은 프로세스의 예시를 제공합니다. 이것은 앞으로 이어질 프로세스에 대한 개략적인 요약일 뿐입니다.

이 그림의 최상위 노드에 위치한 의사 결정 트리는 이 표현에 포함된 패턴의 첫 번째 처리를 담당합니다. 배경 관계 R1

은 이러한 패턴 중 일부에 의해 충족되며, 충족되는 패턴은 오른쪽(관계 R2로)으로 필터링되고 나머지 패턴은 왼쪽으로 필터링됩니다(다음 섹션에서 이러한 패턴에 어떤 일이 발생하는지에 대해 자세히 설명하겠습니다). 오른쪽으로 이동하는 패턴은 긍정적으로 표시된 패턴만 최종 관계(이 경우 R3)의 요구 사항을 충족할 때까지 일련의 관계 테스트를 거칩니다. 이 단계가 끝나면 올바른 방향으로 이동하는 패턴이 필터링됩니다. 즉, 세 가지 관계인 R1, R2, R3을 모두 충족하는 패턴의 하위 집합은 발생이 양수인 유일한 패턴입니다. 이는 하위 집합에 부정적인 발생이 없기 때문입니다. 이 두 가지 테스트를 함께 수행해야 한다고 주장할 수 있습니다. 이는 일반적인 ILP 방법의 내부 루프를 처음 반복하는 과정에서 생성된 절과 동일합니다.

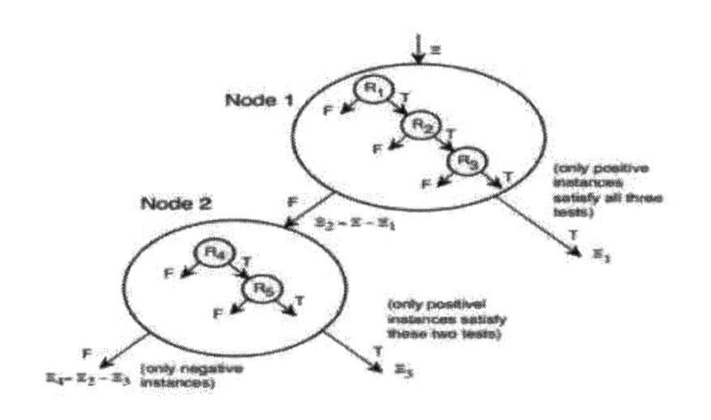


**그림 4.10**: ILP를 위한 의사 결정 트리
출처: 머신러닝 데이터 수집 및 처리 소개 Nils J. Nilsson 2010

이러한 관계를 충족하는 패턴의 하위 집합을 단순화하기 위해 1이라고 부르겠습니다. 이러한 패턴은 가장 깊은 수준에서 노드 1을 만족하는 패턴입니다. 1 = 2로 표현할 수 있는 다른 모든 패턴을 왼쪽으로 이동하는 것이 노드 1의 작업입니다. 그 후 노드 2의 출력은 최상위 노드 2에 의해 필터링되며, 이 필터링은 이전에 나온 것과 매우 유사한 방식으로 이루어집니다. 이렇게 하면 노드 2는 긍정적으로 태그가 지정된 2의 샘플만 충족할 수 있습니다. 우리는 최상위 노드를 충족하지 않는 패턴이 음수 레이블이 붙은 패턴뿐이 될 때까지 최상위 노느에서 계속 작업합니다. 이 특정 이미지에서 숫자

4는 음수 레이블을 가진 패턴으로만 구성되어 있지만 숫자 1과 3의 조합은 양수 레이블을 가진 패턴으로만 구성되어 있습니다. 그 후, 패턴이 양수인지 음수인지 결정하는 관계 R을 다음 논리 프로그램에서 논의합니다:

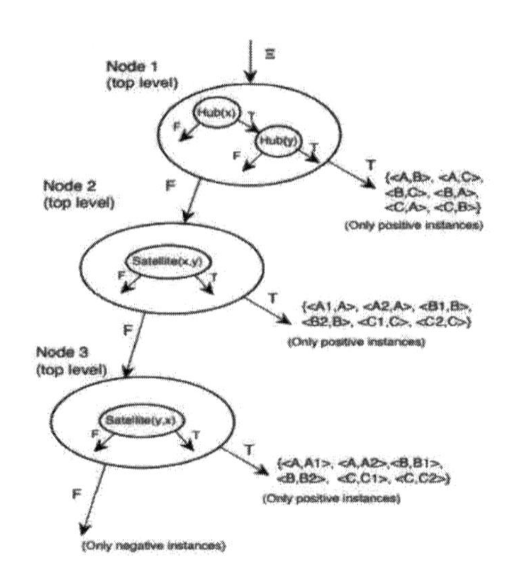


**그림 4.11**: 항공 노선 문제에 대한
의사 결정 트리
출처: 기계학습 데이터 수집 및 처리 소개
Nils J. Nilsson 2010

## 4.5 계산 학습 이론(Computational Learning Theory)

첫 번째 장에서 우리는 샘플 입력과 이러한 입력으로부터 생성되는 결과를 기반으로 함수를 추정하는 과정이 얼마나 어려운지에 대해 논의했습니다. 가능한 입력의 극히 일부만 관찰함으로써 다음 값을 거의 정확하게 추측할 수 있다는 주장을 뒷받침하는 몇 가지 직관적인 논거를 제시했습니다. 추측하려는 함수가 적절하게 제한된 함수의 하위 집합에 속한다면, 대부분의 후속 입력값을 추측할 수 있습니다. 이러한 주장은 가능한 입력의 극히 일부만 관찰함으로써 대부분의 후속 입력 값을 거의 정확하게 추측할 수 있다는 주장을 뒷받침합니다. 즉, 샘플 패턴의 특정 훈련 세트는 제한된 가설 세트 중에서 라벨이 지정된 샘플과 일치하는 함수를 선택하기에 충분할 수 있으며, 이렇게 선택한 함수는 라벨이 지정된 샘플이 추출된 것과 동일한 분포에 따라 무작위로 추출된 후속 샘플에서 거의 정확할 확률이 높습니다(오류 확률은 적음).

레슬리 발리언트(Leslie Valiant)는 이러한 통찰을 바탕으로 추정적으로 정확하게 학습할 수 있는(PAC, Probably Approximately Correct) 학습이라는 개념을 도입했고, 1984년에 이 개념을 발표했습니다[Valiant, 1984]. 다음 단락에서는 부울 함수 사례에 대한 이론을 간략하게 설명하겠습니다. 저자들[Dietterich, 1990; Haussler, 1988; Haussler, 1990]은 가장 주목할 만한 결과에 대해 명확하고 간결한 설명을 제공합니다. 고려 중인 가설의 범위를 확장하면 학습이 더 쉬워질 수 있습니다. 예를 들어, k-CNF는 PAC 학습 가능하지만, k-term-DNF는 PAC 학습 불가능함을 보여줍니다. 반면에, k-term-DNF는 k-CNF의 하위 클래스로서 그 우산 아래에 배치될 수 있습니다.

TLU(Threshold Logic Unit)로 구현되고 가중치 값이 0과 1로 제한된 선형 분리 가능 함수는 PAC 학습이 불가능하지만, 가중치 값에 제한이 없는 선형 분리 가능 함수는 PAC 학습이 가능합니다. 가설이 k-NN에서 선택되고 k가 충분히 큰 경우, k-NN에 포함된 함수 클래스가 다항식 시간 내에 PAC

학습 가능한지 여부는 흥미로운 질문입니다. (이 주제에 대한 결정적인 결론은 아직 내려지지 않았습니다.)

PAC 학습 이론은 강력한 분석 도구임에도 불구하고, 그 관심은 주로 최악의 경우에 집중되어 있습니다. 이는 2계층 피드포워드 신경망이 다항식 시간 내에 PAC 학습할 수 없다는 사실을 의미합니다. 그러나 인간은 자연 환경으로부터 학습할 수 있으며, 이러한 유형의 학습을 장려해야 합니다.

특정 학습 모델이 그 모델의 한계 내에서 학습할 수 없다는 것을 입증함으로써, 우리는 모델의 한계를 명확히 할 수 있습니다. 모델을 조사하고 어떤 제약 조건을 완화할 수 있는지 결정함으로써 시뮬레이션의 현실감을 높일 수 있습니다.

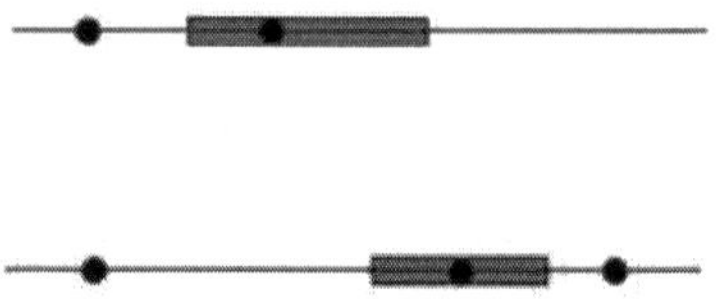

**그림 4.12:** 간격으로 포인트
이분화하기
출처: 머신러닝 데이터 수집 및 처리
입문, Nils J. Nilsson 2020

집합의 VC 차원(Vapnik-Chervonenkis 차원)은 집합의 표현 능력을 정량화하는 데 도움이 되는 중요한 개념입니다. n 차원에서 VC 차원이 n 이하의 이분법 패턴을 달성할 수 있다면, 훈련 세트와 일치하는 패턴이 충분히 제한되어 있어야 합니다. 이는 우수한 일반화를 달성하기 위해 VC 차원보다 훨씬 더 많은 패턴이 훈련 세트에 포함되어야 함을 의미합니다. VC 차원 개념의 사용은 부울 함수에만 국한되지 않으며, 다양한 학습 문제에 적용될 수 있습니다.

## 4.6 비지도 학습

비지도 학습에서는 이상적인 클러스터 수를 설정하고 패턴 모음을 최적의 클러스터 수로 나누는 다양한 전략을 탐색합니다. 이러한 전략은 최소 설명 길이(Minimum Description Length, MDL) 개념에서 기초를 찾을 수 있으며, 이는 데이터 집합에 대한 설명을 가능한 한 간결하게 유지하려는 목표를 가지고 있습니다. MDL 기반 알고리즘 중 하나인 오토클래스 II는 적외선 광원의 특성을 기반으로 별의 새로운 분류를 개발했습니다.

비지도 학습의 또 다른 형태는 학습자가 데이터의 파티셔닝 또는 클러스터 계층을 발견하는 것입니다. 이러한 접근법은 패턴 모음을 서로 얼마나 밀접하게 연관되어 있는지에 따라 카테고리로 구성합니다. 패턴 간의 거리를 측정하는 것은 이 과정에서 중요한 단계 중 하나입니다. 숫자 속성을 가진 패턴의 경우, 유클리드 거리와 같은 일반적인 거리 측정값을 사용할 수 있습니다.

클러스터를 발견하는 방법은 클러스터를 나누는 거리와 클러스터 내의 샘플 변형에 따라 클러스터 탐색자 수를 조정할 수 있도록 수정될 수 있습니다. 예를 들어, 두 클러스터 탐색기 사이의 거리가 임계값 아래로 떨어지면, 두 클러스터 탐색기를 하나의 클러스터 탐색기로 병합할 수 있습니다. 반면, 클러스터 탐색기가 샘플 분산이 일정량 이상인 클러스터를 생성하는 경우, 새로운 클러스터 탐색기를 추가하여 분산을 줄일 수 있습니다.

비지도 학습을 위한 대부분의 방법은 패턴 모음을 카테고리로 구성하는 데 유사성 측정을 사용합니다. 패턴에 숫자 속성이 있는 경우, 유클리드 거리와 같은 거리 측정값을 사용할 수 있습니다. 클러스터를 발견하는 일반적인 방법은 클러스터를 나누는 거리와 클러스터 내의 샘플 변형에 따라 클러스터 탐색자 수를 조정할 수 있도록 수정될 수 있습니다.

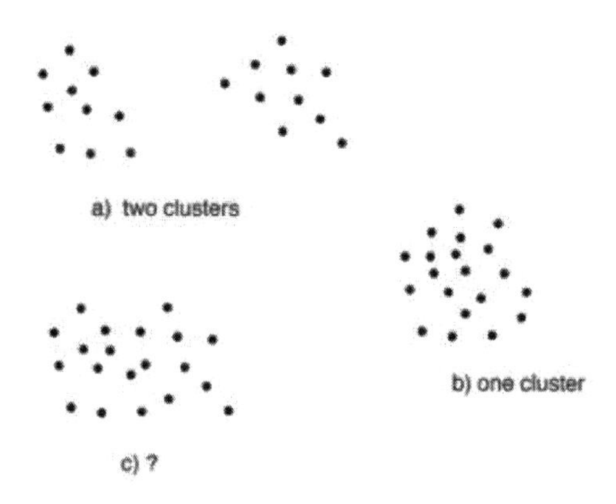


**그림 4.13**: 레이블이 지정되지 않은 패턴
출처: 머신러닝 데이터 수집 및 처리 입문,
Nils J. Nilsson 2020

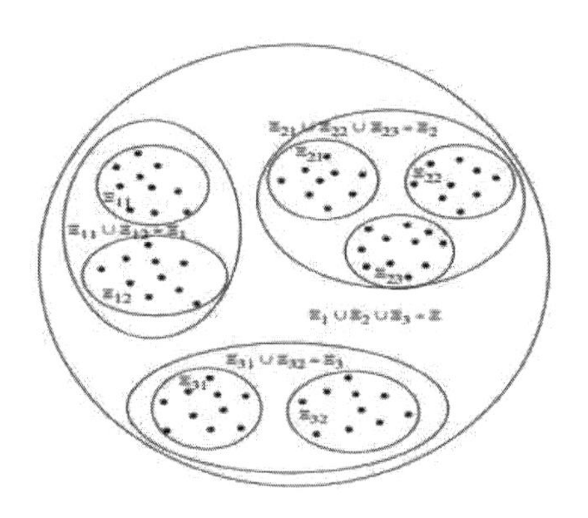

**그림 4.14**: 클러스터 계층 구조
출처: 머신러닝 데이터 수집 및 처리
소개, Nils J. Nilsson 2020

반복적이며 계층적인 클러스터링 프로세스를 기반으로 하는 접근 방식인 COBWEB은 특정 패턴에 따라 특성화되는 트리를 개발합니다. 프로세스가 완료되면 루트 노드에는 이미 모든 패턴이 포함되어 있을 것입니다. 루트 노드의 하위 집합은 루트 노드의 후속 노드에 포함됩니다. COBWEB 방법은 노드를 병합하고 분할하여 최종 분류 트리가 패턴의 제시 순서에 따라 달라지는 정도를 제한합니다.

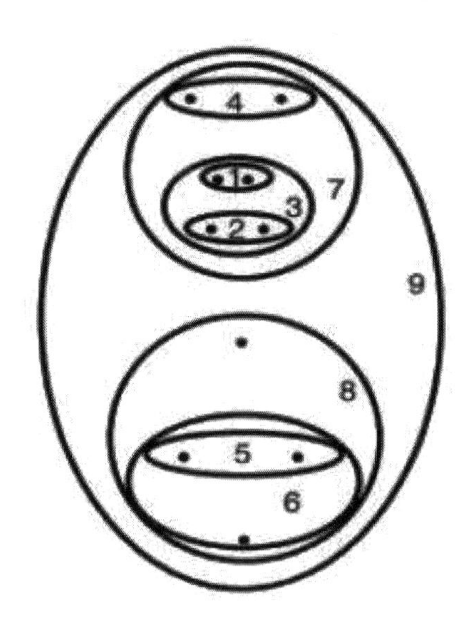


**그림** 4.15: 응집 클러스터링
출처: 머신러닝 데이터 수집 및 처리 소개
Nils J. Nilsson 2020

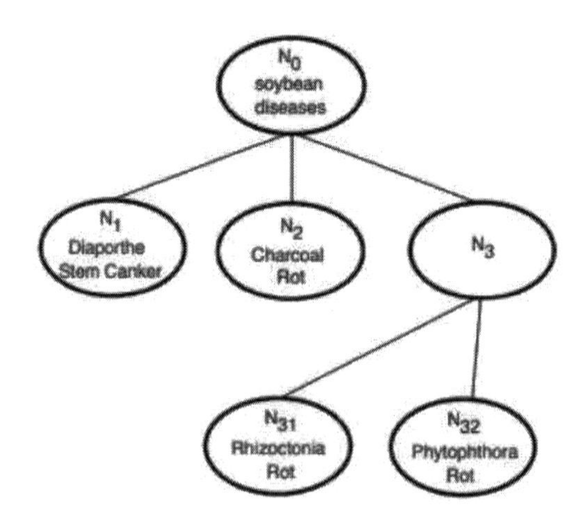


**그림 4.16**: 대두 질병 유발 분류법
출처: 머신러닝 데이터 수집 및 처리 소개
Nils J. Nilsson 2020

이러한 종류의 병합으로 인해 클러스터링의 효율성이 증가하면 병합된 두 노드에서 발견된 패턴의 조합을 포함하는 새로운 노드로 대체됩니다. 노드 분할은 특정 조건 하에서 수행되며, 이는 전체적으로 클러스터링의 품질을 향상시키는 데 도움이 됩니다.

## 5장. 지연 강화 학습(Delayed Reinforcement Learning)

### 5.1 소개

여러분들은 저와 함께 지금부터 여러분들의 주변 환경에서 발생하는 사건을 자동으로 감지하고 반응할 수 있는 로봇을 상상해 보겠습니다. 이 로봇은 자신의 행동이 미치는 영향을 전혀 모른다고 가정해 보겠습니다. 즉, 로봇은 자신의 행동이 어떻게 감각 정보에 영향을 미치는지 알지 못합니다. 때때로 로봇은 "보상"을 받게 되며, 이는 로봇이 어떻게 행동을 선택해야 최대한의 보상을 얻을 수 있는지를 결정해야 함을 의미합니다. 이를 위해서는 로봇이 행동이 보상으로 이어지는 방식을 예측할 수 있는 능력이 필요합니다.

로봇이 속한 환경은 여러 상태로 구성되며, 로봇의 감지 장비는 환경에서 입력 벡터를 생성합니다. 이 벡터는 로봇에게 현재 환경 상태에 대한 정보를 제공합니다. 로봇은 입력 벡터를 분석하여 다음에 수행할 행동을 결정합니다. 행동을 수행하면 환경에 영향을 미치고, 결과적으로 환경이 다른 상태로 변화합니다. 로봇은 새로운 상태를 인식하고, 이 과정이 반복됩니다.

강화 학습에서는 입력 벡터를 행동에 매핑하는 정책을 찾는 것이 목표입니다. 이 정책은 가능한 최대 보상을 누적하는 방식으로 작동해야 합니다. 학습자는 시행착오를 통해 이 정책을 학습해야 합니다.

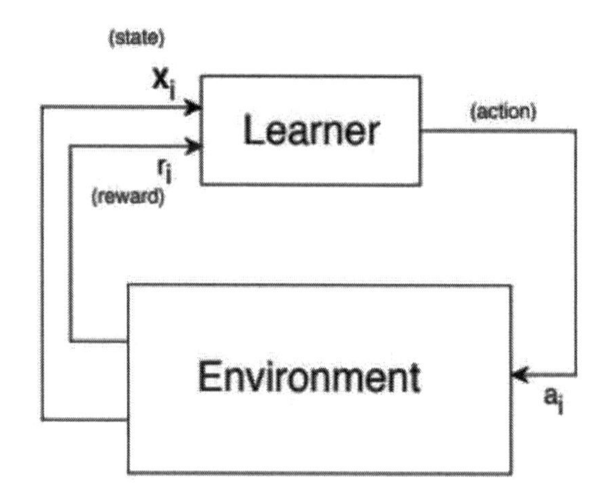


**그림 5.1**: 강화 학습
출처: 기계학습 데이터 수집 및 처리 입문 Nils J. Nilsson, 2020

강화 학습의 개념은 그림 5.1에서 볼 수 있는 것과 같은 "그리드 세계" 예시를 통해 강화 학습의 개념을 명확히 할 수 있습니다. 로봇이 특정 셀에 위치하고, 네 가지 방향 중 하나로 이동할 수 있다고 가정해 봅시다. 벽에 부딪히거나 분리된 셀에 들어가면 로봇은 음수 보상을 받습니다. 반면, 목표 셀에 도착하면 긍정적인 보상을 받습니다.

정책은 로봇이 각 상태에서 어떤 행동을 취해야 하는지에 대한 지침입니다. 최적의 정책은 장기적인 보상을 극대화하는 전략입니다.

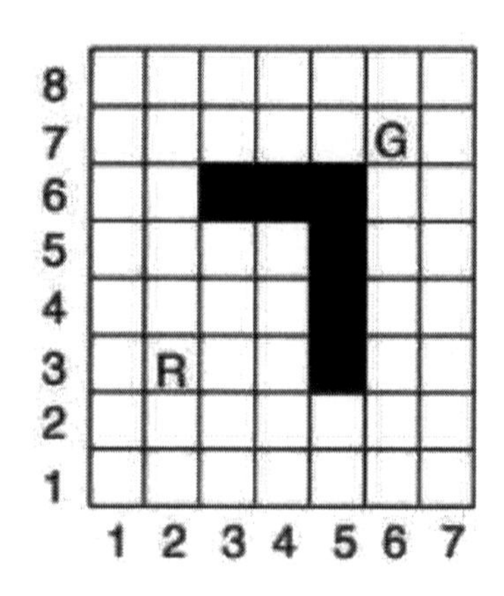


**그림 5.2**: 그리드 세계
출처: 머신러닝 데이터 수집 및 처리 입문, Nils J. Nilsson 2020

강화 학습에서 중요한 요구 사항 중 하나는 학습 과정이 각 시작 상태와 행동에 대해 무제한의 발생 횟수를 포함해야 한다는 것입니다. 이는 학습자가 최적의 정책을 찾을 수 있도록 보장하는 데 필수적입니다.

Q 학습은 확률적 근사화 전략을 사용하여 각 상태에 대한 최적의 Q 값을 계산하는 방법 중 하나입니다. 이 접근 방식은 실제 확률적 프로세스를 반복적으로 샘플링하여 Q 값의 근사치를 생성합니다. 강화 학습은 로봇이나 에이전트가 환경과 상호 작용하면서 최적의 행동 전략을 학습하는 과정입니다. 다시 말하자면, 이 과정은 에이전트가 받는 보상을 극대화하는 방식으로 행동을 조정함으로써 이루어집니다.

## 5.2 Q-러닝의 논의, 한계 및 확장

Q-러닝(Q-learning) 과정에서는 각 상태-행동(state-action) 조합에 대해 Q(X, a) 쌍에 할당된 모든 값에 대한 기록을 유지해야 합니다. 이 데이터 세트의 크기는 그리드 월드(grid world)와 같은 환경에서는 관리 가능할 수 있지만, 실제 환경에서는 데이터의 양이 방대해질 수 있습니다. 예를 들어, 로봇이 셀 (2,3)에 위치해 있고, 서쪽(west, w)으로 이동하는 것이 최적의 행동이라고 가정해 봅시다. Q-러닝의 목표는 Q((2, 3), w)의 값을 즉각적인 보상과 할인된 미래 보상이

합으로 점진적으로 조정하는 것입니다.

학습 속도 매개변수(learning rate parameter) c와 할인율(discount rate) $\gamma$를 조정하여 Q-값의 업데이트를 조절할 수 있습니다. 예를 들어, c=0.5와 $\gamma$=0.9로 설정하면, Q((2, 3), w)의 값이 조정됩니다. 이러한 조정을 통해 Q-러닝 알고리즘은 최적의 행동 정책을 학습할 수 있습니다.

그러나 Q-러닝 과정에는 몇 가지 한계가 있습니다. 특정 상태나 행동을 충분히 탐색하지 않으면 최적의 정책을 발견하지 못할 수 있습니다. 이는 에이전트가 특정 입력 패턴과 관련된 행동을 연관시키는 방법을 찾아야 함을 의미합니다. Q-러닝은 유리한 보상으로 이어지는 행동을 강화하는 과정입니다.

지연된 강화(delayed reinforcement)는 실제 상황에서 흔히 볼 수 있는 현상으로, 지연 강화 학습(delayed reinforcement learning) 개념의 개발로 이어졌습니다. 에

이전트는 임의의 Q-값으로 시작하여, 보상이 있는 상태에 도달할 때까지 무작위로 탐색합니다. Q-러닝은 이러한 보상을 기반으로 Q-값을 조정합니다.

시간적 크레딧 할당(temporal credit assignment) 문제는 보상을 국가-행동 쌍과 어떻게 연관시킬지에 대한 근본적인 문제입니다. Q-러닝은 이 문제를 해결하는 데 가장 성공적인 방법 중 하나입니다.

DYNA 아키텍처(DYNA architecture)는 강화 학습과 전략적 계획을 결합한 접근 방식입니다. DYNA는 실제 세계에서 학습하여 세계 모델을 구축하고, 이 모델을 사용하여 계획을 수립합니다.

목표는 단순히 미리 정해진 조건을 충족하는 것이 아니라, 할인된 미래 보상의 현재 가치를 최대화하는 것입니다. 이는 유지 목표(maintenance goals)와 회피 목표(avoidance goals)를 포함하는 일반화된 목표 설정을 가능하게 합니다.

Q-러닝은 복잡한 환경에서 최적의 행동 정책을 학습하는 강력한 도구입니다. 그러나 그 한계를 인식하고, 이를 극복하기 위한 확장된 접근 방식을 고려하는 것이 중요합니다.

## 5.3 무작위 행동 사용

온라인 학습 전략(online learning strategy)에서 에이전트는 자신의 행동에 의해 이전 패턴에 대한 다음 패턴이 제시되는 경우를 맞이합니다. 왓킨스(Watkins)와 다얀(Dayan)이 사용하는 용어에 따르면, 온라인 교육은 연속적인 단계로 구성됩니다. Q-러닝의 수렴 정리(convergence theorem)는 온라인 학습을 필요로 하지 않으며, 실제로 온라인 학습이 정리의 조건을 만족하는지 확인하는 데 추가적인 노력이 필요합니다.

에이전트가 온라인 학습을 통해 보상으로 이어지는 경로를 발견하면, 장기적으로 더 나은 보상을 제공할 수 있는 다른 정책을 찾지 못하는 문제에 직면할 수 있습니다. 이는 착취(exploitation)와 탐색(exploration)의 문제로 알려져 있으며, 탐색은 새로운 행동을 시도하여 그것이 더 유익한지 확인하는 과정입니다. 가끔씩 무작위 행동을 수행함으로써 탐색을 자극할 수 있으며, 이는 격자 세계(grid world) 문제에서 모든 가능한 행동을 포함하는 확률 분포에 따라 무작위로 행동을 선택하는 방식으로 구현될 수 있습니다.

이 정책은 시뮬레이션 어닐링(simulated annealing) 기법을 사용하여 수정될 수 있으며, 시간이 지남에 따라 Q 값에 따라 필요한 행동이 발생할 확률이 점차 증가합니다. 이 접근 방식은 학습 과정의 초기 단계에서 탐색에 중점을 두고, 나중에는 착취에 집중함으로써, 학습 과정의 후반부에 이르러서야 최적의 정책을 찾을 수 있도록 합니다.

## 5.4 입력에 대한 일반화

실제 문제를 다룰 때는 격자 세계 예시와 같은 단순한 시스템을 유지하기 어렵습니다. 신경망(neural networks)의 적용은 이 문제에 대한 잠재적 해결책으로 제시됩니다. 예를 들어, 간단한 선형 머신(linear machine)을 사용하여 Q 값을 계산하는 네트워크를 고려해 볼 수 있습니다.

에이전트가 선택할 수 있는 다양한 행동이 R개 있을 때, 이러한 유형의 신경망은 입력 패턴 X와 행동 ai에 대한 Q 값을 계산하는 데 사용될 수 있습니다. 각 행동에 대해 하나씩, 가중치 벡터와 입력 벡터의 내적(dot product)을 사용하여 Q 값을 계산합니다. TD(0) 접근 방식을 따라 가중치를 수정하여 Q 값을 즉각적인 보상과 다음 입력 패턴에 대한 할인된 최대 Q 값의 합에 더 가깝게 만듭니다.

선형 기계로 계산하기 어려운 이상적인 Q 값의 경우, 다층 신경망(multilayer neural networks)을 대안으로 사용할 수 있습니다. 최상위 계층의 시그모이드 유닛을 사용하여 Q 값을 결정하면, 결과는 0에서 1 사이의 범위에 속하게 됩니다. TD(0) 전략과 역전파(backpropagation)와 같은 다층 가중치 변경 메커니즘을 결합하는 것이 필수적입니다.

이러한 유형의 네트워크는 여러 입력 벡터를 동일한 작업을 수행해야 하는 별도의 영역으로 집계할 수 있습니다. 이 접근 방식은 구조적 신용 할당(structural credit assignment)과 시간적 신용 할당(temporal credit assignment)으로 인한 문제를 극복하는 데 도움이 될 수 있습니다. 일찍이 Q값에 대해 연구한 Lin(1992) 및 Mahadevan & Connell(1992)은 구조적 신용 할당이 필요한 시뮬레이션 로봇과 실제 로봇의 지연 강화 훈련에 대한 흥미로운 사례를 제시했습니다.

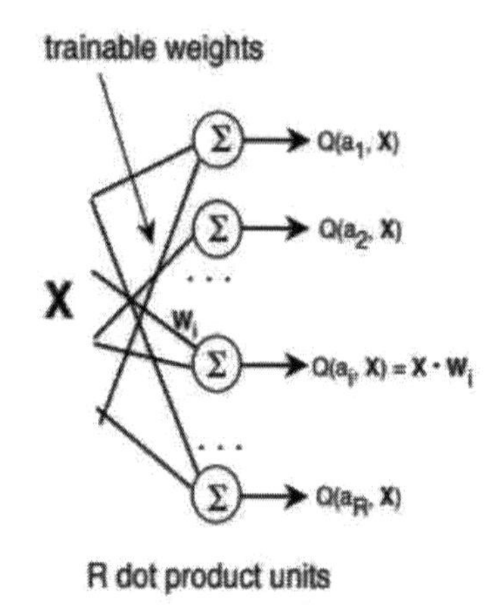


**그림 5.3**: Q 값을 계산하는 네트워크
출처: 머신러닝 데이터 수집 및 처리 소개, Nils J. Nilsson 2020

## 5.5 부분적으로 관찰 가능한 상태

지금까지 우리는 환경의 실제 상태와 입력 벡터 사이의 연결을 설정했습니다. 이 연결은 문자 X로 상징됩니다. 입력 벡터가 에이전트의 지각 장치에서 비롯된 경우, 환경의 상태를 완전히 식별할 수 있다고 기대할 이유가 없습니다. 환경의 여러 상태가 동일한 입력 벡터를 생성할 수 있기 때문입니다. 이 현상은 '지각적 앨리어싱(perceptual aliasing)'이라고 불리며, 환경의 다양한 상태가 동일한 지각적 입력을 생성할 수 있음을 나타냅니다. 지각적 앨리어싱은 Q-러닝이 최적의 행동 계획을 도출하는 데 있어 한계를 가질 수 있음을 시사합니다.

이 문제에 대한 해결책을 모색하는 과정에서, 일부 연구자들은 시스템에 이미 존재하는 메모리를 활용하여 숨겨진 상태를 표현하는 방법을 제안했습니다. 이는 에이전트가 과거에 경험했던, 현재는 관찰할 수 없는 환경의 측면을 기억할 수 있음을 의미합니다. 이 접근 방식은 마르코프 결정 프로세스(Markov Decision Process, MDP)의 전통적인 프레임워크를 벗어나, 에이전트의 행동이 이전의 행동 시퀀스에 의존할 수 있음을 인정합니다. 이를 통해 현재의 감각 입력뿐만 아니라 에이전트의 기억에 있는 정보도 포함하여 마르코프 프레임워크를 재도입할 수 있습니다.

## 5.6 설명 기반 학습

대부분의 학습 전략은 훈련 세트의 버전 공간을 완전히 탐색하지 않습니다. 논리와 연결된 언어를 사용하는 경우, 분류기의 결과가 훈련 세트에서 논리적으로 따르지 않는 경우를 관찰할 수 있습니다. 이러한 접근 방식은 귀납적(inductive) 기법으로 분류될 수 있습니다. 연역적(deductive) 시스템은 입력 사실로부터 결론이 형성되는 방식으로, 시스템의 타당성과 양립할 수 있습니다. 귀납적 추론과 연역적 추론은 논리적 맥락에서 비교되고 대조됩니다.

설명 기반 학습(Explanation-Based Learning, EBL)은 암묵적 지식에서 명시적 지식으로의 전환을 포함합니다. EBL 과정에서는 먼저 설명을 일반화하여 유사한 추가 사례에 적용할 수 있는 도메인 이론의 구성 요소를 개발합니다. 그런 다음 이론의 일부를 전문화하여 특정 사례를 설명합니다. 이 과정은 전체 도메인 이론이 개발되고 유사한 추가 사례에 적용될 수 있을 때까지 반복됩니다.

EBL은 특정 사례에서 얻은 지식을 일반화하고, 이를 통해 더 넓은 범위의 상황에 적용할 수 있는 원칙을 도출하는 데 중점을 둡니다. 이 접근 방식은 특정 문제를 해결하는 데 필요한 추론 과정을 명시적으로 만들고, 이를 통해 학습 과정을 가속화할 수 있습니다. EBL은 특정 사례로부터 얻은 설명을 기반으로 새로운 사례에 대한 추론을 용이하게 함으로써, 학습 과정에서의 효율성을 향상시킬 수 있습니다.

## 5.7 도메인 이론

훈련 샘플에서 추출된 정보와 해당 도메인에 대한 선험적 지식 또는 "편향"은 귀납적 학습 방법론에서 중요한 역할을 합니다. 이러한 정보와 지식은 학습 프로세스를 안내하며, 특히 샘플의 수가 제한적일 때 더욱 중요합니다. 즉, 훈련 데이터가 적을수록, 우리가 찾고자 하는 함수에 대한 선험적 지식이 더 중요해집니다.

도메인 이론은 이러한 선험적 지식을 구조화하고 명시화하는 데 사용되는 용어입니다. 예를 들어, 금융 기관에서 대출 승인 과정을 자동화하기 위해 사용자의 소득, 결혼 여부, 직업 등 다양한 특성을 분석할 수 있습니다. 이미 알려진 위험 요소를 기반으로 한 데이터와 대출 담당자의 경험을 결합하여, 이러한 정보를 규칙 기반 시스템으로 변환할 수 있습니다. 이 과정에서 대출 담당자의 지식은 초기 "정책" 또는 도메인 이론으로 시작될 수 있으며, 경험을 통해 이 규칙이 더 전문화되고 효율적으로 발전할 수 있습니다.

도메인 이론을 활용하는 과정에서는 "Robust(Num5)는 참이다"와 같은 주장을 검증하기 위해 해당 도메인의 지식을 사용합니다. 이 과정에서는 도메인 이론 내의 주장들을 활용하여 주장을 뒷받침하거나 반박할 수 있습니다. 이러한 주장들은 특정 상황에 대한 이해를 깊게 하고, 주장을 일반화하거나 특정 사례에 적용하는 데 도움을 줄 수 있습니다.

설명 기반 학습(EBL)은 이러한 도메인 이론을 활용하여 특정 사례에서 얻은 설명을 일반화하고, 이를 통해 새로운 사례에 적용할 수 있는 원칙을 도출하는 과정입니다. EBL은 암묵적 지식을 명시적 지식으로 전환하는 과정을 포함하며, 이를 통해 학습 과정의 효율성을 향상시킬 수 있습니다.

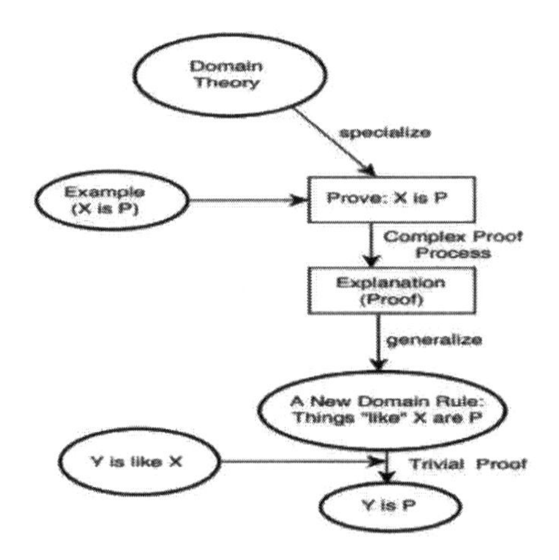


**그림 5.4**: EBL 프로세스
출처: 머신러닝 데이터 수집 및 처리 소개, Nils J. Nilsson, 2020

도메인 이론의 활용은 학습 과정에서 중요한 역할을 하며, 특정 도메인에 대한 깊은 이해와 해당 도메인의 복잡성을 관리하는 데 도움을 줍니다. 이를 통해 학습자는 더 정확하고 효율적인 결정을 내릴 수 있으며, 학습 과정을 통해 얻은 지식을 더 넓은 범위의 상황에 적용할 수 있습니다.

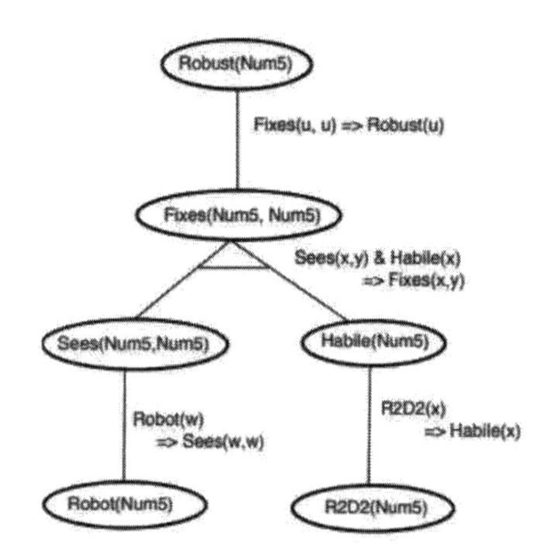


**그림 5.5**: 증명 트리
출처: 머신러닝 데이터 수집 및 처리 소개, Nils J. Nilsson, 2020

## 5.8 평가 가능한 술어

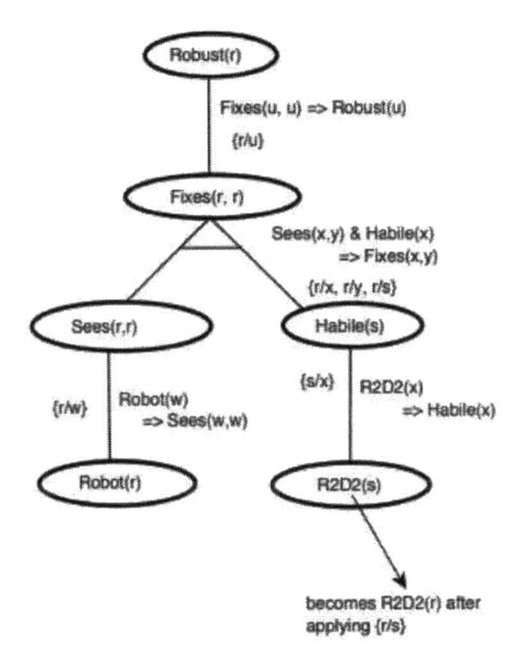


**그림 5.6**: 일반화된 증명 트리
출처: 기계학습 데이터 수집 및 처리 소개
Nils J. Nilsson, 2020

도메인 이론에 포함된 술어(predicate)는 해당 도메인을 설명하는 데 사용되는 다양한 개념과 속성을 나타냅니다. 이러한 술어 중 일부는 직접 평가할 수 있는 술어(evaluatable predicates)로, 특정 조건이나 상태를 명확하게 판단할 수 있는 기준을 제공합니다. 예를 들어, Habile(Num5)와 같은 술어는 Num5의 특정 능력을 나타내며, 이는 증명 과정에서 직접적으로 평가될 수 있습니다.

데이터베이스와 논리적 규칙을 사용하는 시스템에서는 이러한 평가 가능한 술어를 통해 데이터베이스 내의 정보를 조회하고, 규칙에 따라 추론을 진행합니다. 이 과정은 도메인 이론에서 정의된 술어를 활용하여, 주어진 문제에 대한 해결책을 도출하는 데 필수적입니다.

## 5.9 더 일반적인 증명

도메인 이론을 활용한 증명 과정에서는 특정 상황에 적용 가능한 규칙뿐만 아니라, 보다 일반적인 상황에도 적용할 수 있는 규칙을 도출하는 것이 중요합니다. 예를 들어, Robot(u) ∧ C3PO(u) => Robust(u)와 같은 규칙은 특정 로봇 u가 C3PO일 경우 그 로봇이 견고함(Robust)을 나타내는 것으로 해석될 수 있습니다. 이러한 규칙은 특정 사례에서 관찰된 패턴을 일반화하여, 다양한 상황에 적용할 수 있는 보다 광범위한 원칙을 제시합니다.

EBL(설명 기반 학습) 접근 방식은 이러한 일반화 과정에서 중요한 역할을 합니다. EBL은 특정 사례에서 얻은 증명을 바탕으로 일반적인 규칙을 도출하고, 이를 통해 새로운 상황에 대한 추론을 가능하게 합니다. 이 과정은 도메인 이론 내의 술어를 활용하여, 보다 효율적이고 효과적인 추론을 지원합니다.

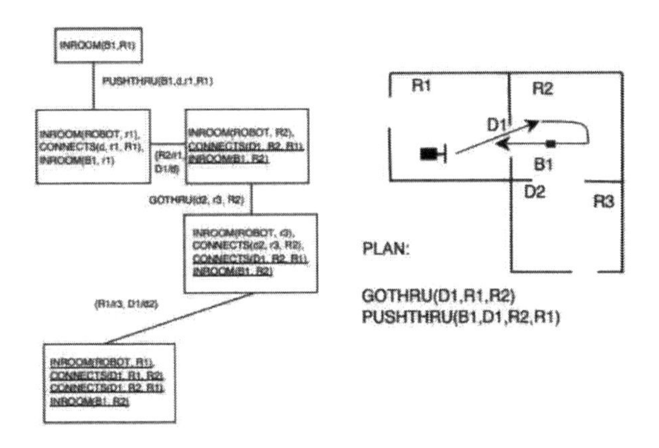


**그림 5.7**: 로봇 문제에 대한 계획
출처: 머신러닝 데이터 수집 및 처리 소개, Nils J. Nilsson, 2020

EBL 기법의 응용은 매크로 연산자 생성, 검색 제어 전략 개발 등 다양한 분야에서 성공적으로 활용되었습니다. 특히, PRODIGY 시스템은 EBL을 활용하여 검색 과정을 최적화하고, 효율적인 계획 생성을 지원하는 데 기여했습니다. 이러한 접근 방식은 도메인 이론을 기반으로 한 추론과 결합하여, 복잡한 문제를 해결하는 데 필요한 지식과 전략을 개발하는 데 중요한 역할을 합니다.

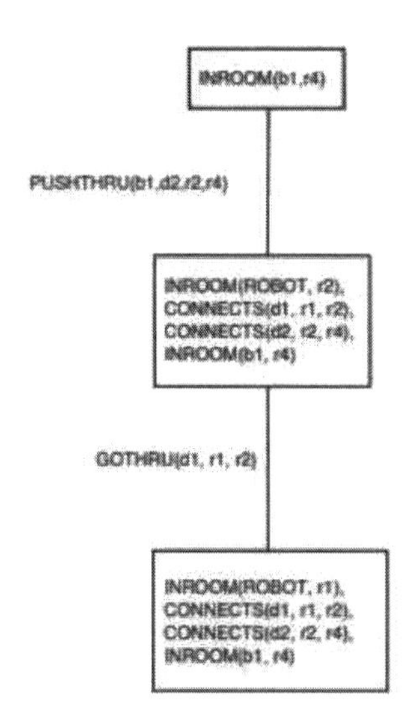


**그림 5.8**: 일반화된 계획
출처: 기계학습 데이터 수집 및 처리 소개, Nils J. Nilsson, 2020

EBL과 유사한 기법은 계획 생성, 검색 제어, 매크로 연산자 생성 등 다양한 응용 분야에서 효과적인 해결책을 제공합니다. 이러한 접근 방식은 특정 도메인에 대한 깊은 이해와 함께, 문제 해결 과정에서 발생할 수 있는 다양한 상황을 고려하여, 보다 일반적이고 유연한 해결책을 도출할 수 있도록 지원합니다.

## 5.10 균일 수렴을 통한 학습

PAC(Probably Approximately Correct) 모델은 우리가 처음으로 공식적인 학습 프레임워크를 해체하고 심도 있게 검토한 것으로, 우리가 사용한 프레임워크였습니다. 이전 장에서 우리는 실현 가능성 가정을 바탕으로 모든 유한 클래스가 PAC 학습에 참여할 수 있는 잠재력을 가지고 있음을 입증하는 증거를 제시했습니다. 이 장에서는 우리는 먼저 균일 수렴(uniform convergence)이라고 부르는 범용 도구의 개발에 대해 설명할 것입니다. 그런 다음 이 도구를 사용하여 범위 손실 함수(range loss function)가 있는 경우, 일반 손실 함수(loss function)를 갖는 불가지론적(agnostic) PAC 모델을 활용하여 모든 유한 클래스를 학습할 수 있음을 증명할 것입니다.

### 5.11 균일한 수렴이 충족되는 것만으로도 충분한 학습 가능성

이 장에서 논의한 학습 조건에 대한 아이디어는 독자로부터 아주 적은 양의 정신적 노력을 받았습니다. 기억을 자극하기 위해, ERM(Empirical Risk Minimization) 학습 패러다임은 클래스 H가 제공될 때마다 다음과 같은 방식으로 작동합니다: 학습자는 훈련 샘플인 S를 제공받자마자
H의 각 $h$가 주어진 샘플에 대해 갖는 위험(또는 오류)을 즉시 평가하기 시작합니다. 그런 다음 경험적 위험을 최대한 줄임으로써 경험적 위험을 최소화하는 H의 구성원을 생성합니다.

S에 대한 경험적 위험을 최소화하는 $h$의 값은 실제 데이터 확률 분포에 대한 위험도 최소화(또는 최소값에 상당히 근접한 위험)할 것으로 예상됩니다. 이것이 바로 기대치입니다. 이 목표를 달성하기 위해서는 H의 모든 구성원의 경험적 위험이 실제 위험에 가까운 근사치를 갖도록 하는 것으로 충분합니다.

다시 말해, 클래스의 모든 가설에 대해 경험적 위험이 전반적으로 실제 위험에 가까운 것이어야 합니다. 앞의 정리는 ERM 규칙이 불가지론적 PAC 학습자임을 증명하기 위해서는 훈련 집합의 무작위 선택에 대해 최소 1의 확률로 대표 훈련 집합이 될 것임을 증명해야 한다고 주장합니다. 이는 훈련 세트가 무작위로 선택되면 대표 훈련 세트가 된다는 것을 보여줌으로써 증명할 수 있습니다. 균일 수렴 요건은 이 기준의 사용에 대한 공식적인 정당성을 제공합니다. $m_{UC}(H)$ 함수는 PAC 학습의 샘플 복잡도 개념과 유사한 방식으로 균일 수렴 속성을 달성하기 위한 (최소) 샘플 복잡도를 평가합니다.

## 5.12 편향성-복잡성 트레이드오프

훈련 데이터에 의해 잘못된 방향으로 유도되어 과적합(overfitting)이 발생할 수 있음을 확인했습니다. 이 문제에 대한 해결책은 검색 범위를 H 클래스의 인스턴스만 찾도록 좁혀서 찾았습니다. H 클래스의 구성원 중 하나가 과제에 대해 오류가 적은 모델이라는 개념은 학습자가 과제에 대해 이미 보유하고 있는 과거 정보를 전달하는 것으로 간주할 수 있으며, 따라서 클래스는 이러한 사전 지식을 반영하는 것으로 이해될 수 있습니다.

"공짜 점심은 없다"(No Free Lunch Theorem) 원칙에 따르면 보편적인 학습자는 존재하지 않습니다. 이는 모든 경우에서 실패하는 분포가 존재한다는 것을 의미합니다. 특정 학습 과제는 X와 Y에 걸쳐 있는 불확실한 분포 D를 기초로 합니다. 이 과제의 목표는 학습자가 예측자 $h$를 발견하는 것입니다: X와 Y의 오류 가능성인 $L_D(h)$가 충분히 낮은 예측자를 발견하는 것입니다. 따라서 답해야 할 질문은 학습 알고리즘 A와 훈련 세트 크기 m이 있는지 여부이며, 어떤 분포 D에 대해 A에게 D에서 m개의 아이디 예시가 주어지면
A가 낮은 위험도의 예측자 $h$를 출력할 가능성이 높다는 것입니다.

이러한 학습 프로세스에서 중요한 것은 편향성(bias)과 복잡성(complexity) 사이의 균형을 찾는 것입니다. 너무 많은 편

향성을 가지면 모델이 과소적합(underfitting)될 위험이 있고, 복잡성이 너무 높으면 과적합의 위험이 있습니다. 이 트레이드오프는 학습 알고리즘을 설계할 때 중요한 고려 사항입니다.

학습자는 특정 분포에서 분류에 실패할 수 있습니다. 이는 어떤 학습자도 모든 가능한 학습 과제에서 성공할 수 없으며, 모든 학습자에게는 실패할 수 있는 특정 과제가 있음을 의미합니다. 따라서, 특정 학습 문제를 해결하기 위해서는 해당 문제를 설명하는 분포

D에 대한 사전 지식이 필요합니다. 예를 들어, 분포 D가 특정 파라메트릭 분포 군의 구성원이라는 인식은 사전 지식의 한 형태입니다. 이러한 사전 지식은 PAC 학습 모델 개발 시 고려되었으며, D와 관련된 더 관대한 가정은 불가지론적 PAC 모델을 채택하는 데 필요한 조건을 제시합니다.

ERM 알고리즘은 클래스 H 내에서 실행될 때 발생하는 오류를 두 가지 주요 구성 요소로 분리합니다: 근사치 오차(approximation error)와 추정 오차(estimation error). 근

사치 오차는 클래스 H의 선택과 관련된 편향성을 나타내며, 추정 오차는 과적합으로 인한 오류를 나타냅니다. 클래스 H의 크기와 복잡성은 추정 오차에 영향을 미치며, 이는 편향성-복잡성 트레이드오프의 핵심 요소입니다.

특정 활동을 학습할 때 과거에 수집한 지식을 활용하면 실패로 이어질 수 있는 분포를 피할 수 있으며, 이는 "공짜 점심은 없다" 원칙에 의해 예측되는 위험을 회피하는 데 도움이 됩니다. 챕터 수업의 선택은 이러한 사전 지식을 반영해야 하며, 이는 근사치 오차와 추정 오차 사이의 균형을 고려하여 이루어져야 합니다.

근사치 오차는 특정 클래스 내에서 예측자가 허용할 수 있는 위험 수준을 나타내며, 추정 오차는 경험적 위험과 실제 위험 사이의 불일치를 나타냅니다. 이 두 오류 유형 사이의 균형을 맞추는 것은 학습자가 고품질의 예측자를 생성하는 데 중요합니다.

우리가 바로 직적에 공부한 "공짜 점심은 없다" 원칙은 보편적인 학습자의 존재를 부정하며, 모든 학습 과제에 대해 성공적인 학습자가 될 수 있는 보편적인 알고리즘은 없음을 시사합니다. 학습자는 특정 과제에 적합한 사전 지식을 활용하여 성공적인 학습 결과를 달성할 수 있습니다. 이는 학습 이론에서 중요한 개념으로, 학습자가 특정 도메인에 적합한 클래스를 선택하고, 이를 통해 근사치 오차와 추정 오차를 최적화하는 방법을 모색하는 데 도움이 됩니다.

다음 장에서는 학습 이론의 다양한 접근 방식과 사전 지식을 표현하는 방법에 대해 더 깊이 탐구할 것입니다. 이는 학습자가 특정 학습 과제에 대해 최적의 결과를 달성하기 위해 필요한 지식과 도구를 제공합니다.

## 5.13 VC 차원

이전 장에서 ERMH 규칙으로 인해 발생하는 오류를 그 구성 요소로 분해했습니다. 이러한 요소는 근사 오차, 추정 오차 및 전체 오차입니다. 추정치의 정확도는 알 수 없는 값의 기본 분포가 우리가 사용할 수 있는 지식(챕터 클래스 H의 선택에서 알 수 있듯이)이 해당 분포와 유사한 정도에 반영되는 정도에 따라 달라집니다. 반면에 PAC 학습 가능성의 정의 조건을 충족하려면 추정 오차가 모든 분포에 걸쳐 균일하게 제한되어야 합니다.  PAC 학습 가능성은 새로운 정보에 적응할 수 있는 능력으로 정의됩니다. 우리의 현재 임무는 PAC의 도움으로 학습할 수 있는 코스 H를 식별하고 특정 챕터의 수업을 학습하는 데 수반되는 난이도를 정확히 설명하는 것입니다. 지금까지 우리는 유한 클래스를 학습하는 것이 가능하다는 것을 증명했지만, 모든 함수의 클래스를 (무한한 크기의 영역에서) 학습하는 것은 불가능합니다.

학생들이 한 수업은 학습할 수 있지만 다른 수업은 학습할 수 없는 이유는 무엇인가요? 모든 규모의 강좌를 학습할 수 있다면, 어떤 기준으로 강좌에 포함된 문제의 난이도를 결정할 수 있을까요? 이는 장의 시작 부분에서 무한한 클래스를 학습할 수 있다는 것이 가능하다는 것을 보여줌으로써, 장 클래스의 유한성이 학습 가능성의 필수 요건이 아님을 증명합니다. 그런 다음 제로 원 손실과 함께 이진 값 분류의 프레임워크를 활용하여 매우 정확한 학습 가능한 클래스 군의 특성화를 제공합니다. 이 특정 분류는 1970년 블라디미르 바프닉(Vladimir Vapnik)과 알렉세이 체르보넨키스(Alexey Chervonenkis)에 의해 처음 발견되었으며, 바프닉 체르보넨키스 차원 또는 줄여서 VC 차원으로 알려진 조합적 아이디어에 의존하고 있습니다. 이 발견은 블라디미르 바프닉과 알렉세이 체르보넨키스에 의해 이루어졌습니다. 먼저 VC 차원에 대한 공식적인 설명을 제시한 다음 몇 가지 예제를 살펴보겠습니다. 다음으로, 학습 가능성, VC 차원, ERM 규칙, 균일 수렴의 원리를 통합하는 통계적 학습 이론의 기본 정리를 확립하는 단계로 넘어갑니다. 마지막으로 몇 가지 결론과 몇 가지 열린 질문으로 마무리합니다.

## 5.14 VC 차원(Vapnik-Chervonenkis dimension)

VC 차원은 학습 이론에서 중요한 개념으로, 특정 클래스의 학습 가능성을 정량화하는 데 사용됩니다. 이 차원은 클래스가 분류할 수 있는 가장 큰 데이터 집합의 크기를 나타내며, 이는 클래스의 복잡성을 측정하는 방법으로 해석될 수 있습니다. VC 차원이 높은 클래스는 더 많은 데이터 패턴을 분류할 수 있지만, 동시에 과적합(overfitting)의 위험이 더 높아질 수 있습니다.

VC 차원의 개념은 연구자인 블라디미르 바프닉(Vladimir Vapnik)과 알렉세이 체르보넨키스(Alexey Chervonenkis)에 의해 도입되었으며, 이는 이진 분류 문제에서 클래스의 학습 가능성을 판단하는 데 중요한 역할을 합니다. 클래스의 VC 차원이 유한하다면, 해당 클래스는 PAC(Probably Approximately Correct) 학습 가능하다고 간주됩니다. 이는 적절한 크기의 훈련 데이터를 사용하면, 높은 확률로 실제 오류가 낮은 분류기를 학습할 수 있음을 의미합니다.

VC 차원은 학습 이론에서 학습 가능성과 균일 수렴의 원리를 통합하는 데 중요한 역할을 합니다. 이 차원을 통해 학습자가 특정 클래스 내에서 효과적으로 학습할 수 있는지, 그리고 얼마나 많은 훈련 데이터가 필요한지를 판단할 수 있습니다. VC 차원이 낮은 클래스는 일반적으로 더 쉽게 학습할 수 있으며, 더 적은 양의 데이터로도 좋은 성능을 달성할 수 있습니다.

VC 차원의 개념은 또한 학습 가능성과 추정 오차 사이의 트레이드오프를 이해하는 데 도움을 줍니다. 클래스의 복잡성(즉, VC 차원)이 증가하면, 특정 데이터 집합을 완벽하게 분류할 수 있는 능력은 향상될 수 있지만, 동시에 과적합의 위험도 증가합니다. 따라서, 학습자는 주어진 문제에 적합한 클래스의 복잡성을 적절히 선택해야 합니다.

VC 차원과 관련된 연구는 학습 이론의 발전에 중요한 기여를 하였으며, 다양한 학습 문제와 모델에 대한 이해를 심화하는 데 도움을 주었습니다. 이 차원을 통해 학습자는 주어진 학습 과제에 대해 최적의 학습 전략을 선택하고, 필요한 데이터의 양을 추정하며, 학습 모델의 성능을 최적화할 수 있습니다.

## 5.15 비균일 학습 가능성(non-uniform learnability)

비균일 학습 가능성은 PAC 학습 가능성의 개념을 확장하여, 학습자가 표본 크기가 다양한 챕터와 비교할 때 달라질 수 있는 상황을 포함합니다. 이는 학습 가능성이 특정 챕터 클래스에 대해 일관되게 적용되지 않고, 대신 각 챕터 클래스마다 다른 조건을 만족해야 함을 의미합니다. 비균일 학습 가능성은 불가지론적 PAC 학습 가능성(agnostic PAC learnability)을 완화한 형태로, 특정 챕터 클래스가 학습 가능하다는 것을 보여주는 데 사용될 수 있습니다.

구조적 위험 최소화(SRM, Structural Risk Minimization)는 학습 과정에서 발생할 수 있는 위험을 최소화하기 위해 챕터 클래스에 가중치를 부여하는 방법입니다. SRM은 최소 설명 길이(MDL, Minimum Description Length) 패러다임과 밀접하게 관련되어 있으며, 오컴의 면도날(Occam's Razor) 원칙에 기반한 학습 전략입니다. 이 원칙은 가능한 가장 간단한 설명을 선호하는 경향을 가지며, 학습 과정에서 복잡성과 편향 사이의 균형을 찾는 데 도움을 줍니다.

비균일 학습 가능성은 챕터 클래스의 셀 수 있는 조합에 대해 균일 수렴 특성을 가진다는 조건을 만족해야 합니다. 이는 학습자가 다양한 챕터 클래스에 대해 적절한 학습 전략을 적용할 수 있음을 의미하며, 이를 통해 학습 과정의 효율성을 높일 수 있습니다.

일관성 개념(consistency concept)은 학습 가능성의 덜 엄격한 형태로, 학습자가 일관된 예측을 생성할 수 있는 능력에 초점을 맞춥니다. 이는 학습자가 주어진 데이터에 대해 일관된 결과를 제공할 수 있음을 의미하며, 이는 학습 과정의 안정성을 보장하는 데 중요한 역할을 합니다.

비균일 학습 가능성과 구조적 위험 최소화 전략은 학습 이론에서 중요한 개념으로, 학습 과정을 최적화하고 학습 모델의 성능을 향상시키는 데 도움을 줍니다. 이러한 개념을 통해 학습자는 다양한 학습 문제에 대해 적절한 접근 방식을 선택하고, 주어진 학습 과제에 가장 적합한 챕터 클래스를 식별할 수 있습니다.

## 5.17 학습 가능성에 대한 기타 개념 - 일관성

학습 가능성에 대한 개념은 기본 데이터 생성 확률 분포(D)와 필요한 표본 크기(m)에 의존하며, 이를 통해 학습 가능성의 개념을 기존보다 더 확장하고 적응성을 높일 수 있습니다. 이러한 성능 보장은 학습 규칙의 일관성이라는 개념으로 포괄되며, 비균일 학습 가능성은 이 일관성의 더 엄격한 형태로 볼 수 있습니다. 알고리즘이 클래스 H를 비균일하게 학습할 경우, 전 세계적으로 일관성을 유지할 것이라는 것은 명백합니다.

일관성은 비균일 학습자가 성공하는 것을 장려하지 않는 엄격한 원칙입니다. "메모리즈" 기법은 모든 이진 분류기 클래스에 대해 전 세계적으로 일관성이 있으며, 이는 학습 과정이 매우 일관적이며 비균일 학습의 기회가 없음을 의미합니다. 메모리즈 접근 방식은 테스트 포인트 x가 주어졌을 때, 훈련 샘플에서 학습한 후, 훈련 샘플에 존재하는 대부분의 라벨이 지정된 x 인스턴스에 할당된 라벨을 기반으로 예측을 수행합니다.

메모리즈 알고리즘은 셀 수 있는 도메인 X와 유한한 레이블 집합 Y에 대해 보편적으로 일관성이 있음을 증명할 수 있습니다. 이는 알고리즘이 셀 수 있는 모든 영역에서 일관성이 있음을 의미합니다. 그러나 메모리즈 알고리즘을 학습으로 간주하는 것은 직관적으로 합리적이지 않은 것처럼 보입니다. 왜냐하면 이전에 본 데이터를 사용하여 이전에 보지 못한 사례에 대해 예측하는 일반화 요소가 없기 때문입니다.

일관성 보장의 효과는 메모리즈가 셀 수 있는 모든 도메인 집합의 모든 함수 클래스에 대해 일관된 알고리즘이라는 사실로 인해 의문이 제기됩니다. 또한, '나쁜 학습자'가 과적합을 유발한 것은 사실 메모리즈 알고리즘이었다는 것을 알 수 있습니다. 이는 메모리즈 알고리즘을 도입했을 때 과적합이 발생했기 때문입니다.

다음 섹션에서는 학습 가능성에 대한 다양한 정의의 중요성을 설명하고, 공짜 점심 정리를 다시 살펴보며, 다양한 종류의 학습 가능성에 비추어 이 정리가 적절한지 여부를 검토할 것입니다. 이는 학습 가능성의 다양한 정의가 학습 과정에 어떤 영향을 미치는지 이해하는 데 중요합니다.

## 5.18 학습 가능성에 대한 다양한 개념에 대해 논의하기

'학습 가능성'에 대한 세 가지 다른 해석을 제시한 후, 각 해석의 실용성을 평가하는 것이 중요합니다. 학습 가능성의 정의는 응용 분야의 요구에 따라 달라질 수 있으며, 이는 학습 알고리즘에 대한 성능 보장을 도출하려고 할 때 고려해야 할 주요 요소입니다. 가장 기본적인 목표는 출력 예측과 관련된 위험을 제한하는 것입니다.

PAC(probably approximately correct) 학습과 비균일 학습 모두 경험적 위험을 기반으로 실제 위험에 대한 상한을 제공합니다. 이러한 상한은 각각의 학습 알고리즘에 의해 결정됩니다. 그러나 이러한 제한은 일관성을 보장하지 않습니다. 검증 집합을 사용하면 출력 예측과 관련된 위험을 정량화할 수 있습니다.

학습에 필요한 예제의 수는 학습이 비균일할 때 H의 어느 챕터가 가장 좋은지, 학습이 일관적일 때는 학습되는 분포에 따라 달라집니다. 이는 PAC 학습 정의가 학습 가능성에 대한 유일하게 관련성 있는 정의로 간주될 수 있음을 시사합니다. 그러나 PAC 학습이 제공하는 보장은 "베이지안 최적 예측자 만큼 좋은 결과를 얻기 위해 얼마나 많은 예제가 필요한가?" 라는 질문에 대한 확실한 답을 제공하지 못합니다. 이는 PAC 학습의 효율성이 사전 지식의 품질에 좌우된다는 사실을 반영합니다.

PAC 보장은 학습 알고리즘이 상당한 위험을 가진 챕터를 생성하는 경우 어떻게 해야 하는지 이해하는 데 도움이 됩니다. 추정 오차로 인해 발생하는 오류의 양을 제한할 수 있으며, 결과적으로 실수 중 얼마나 많은 부분이 근사치 오류에 기인하는지 파악할 수 있습니다. 추정 오차가 상당할 경우 새로운 챕터 클래스로 전환해야 합니다. 비균일 프로세스를 적용해도 원하는 결과를 얻지 못하면 다른 가중치 함수를 사용하는 것을 고려할 수 있습니다.

일관된 알고리즘이 실패할 경우, 추정 오류인지 근사치 오류인지 구분할 수 없습니다. 추정 오차를 최소화하기 위해 필요한 추가 예제 수를 알 수 없습니다.

학습 가능성에 대한 다양한 정의는 학습의 제약과 사전 정보 보유의 필요성을 강조합니다. PAC 학습, 비균일 학습 가능성, 일관성은 모두 학습 과정을 이해하고 최적화하는 데 도움이 됩니다. 계산적 요소는 학습 규칙을 적용하는 데 필요한 런타임의 양을 나타내며, 모든 C++ 프로그램에 대해 MDL 패러다임을 구현하는 것은 실현 불가능할 정도로 시간이 많이 소요됩니다.

다음 장에서는 학습과 관련된 계산 복잡성을 명확하게 정의하고, ERM 또는 SRM 방식을 쉽게 구현할 수 있는 챕터 클래스에 집중할 것입니다. 이러한 개념은 학습 이론에서 중요한 요소로서, 다음 장에서 우리는 학습 과정을 최적화하고 계산적으로 효율적인 방법을 찾는 데 중점을 두어 개념울 설명할 것입니다.

## 5.19 학습에 할애하는 시간

이 책을 읽고 있는 여러분들은 지금까지 주로 통계적 관점에서 학습이라는 주제를 탐구해 왔습니다, 특히 학습에 필요한 정보의 양, 즉 샘플 복잡도(sample complexity)에 중점을 두어 살펴보았습니다. 그러나 자동화된 학습 시스템에서는, 작업을 완료하는 데 필요한 컴퓨팅 리소스의 양, 즉 계산 복잡도(computational complexity)도 중요한 역할을 합니다. 이는 학습자가 적절한 양의 학습 샘플 데이터에 접근할 수 있게 되었을 때, 특정 챕터를 추출하거나 특정 테스트 인스턴스의 레이블을 결정하기 위해 수행해야 하는 계산의 양을 의미합니다.

샘플 복잡도와 계산 복잡도는 학습 과정에서 고려해야 할 두 가지 주요 유형의 리소스입니다. 다음 장에서는 학습 과정과 관련된 계산 복잡성에 대해 더 깊이 탐구할 예정입니다. 알고리즘의 실제 실행 시간은 알고리즘이 구현되는 특정 컴퓨터의 클럭 속도와 같은 조건에 따라 달라질 수 있습니다. 점근적 관점에서 알고리즘의 런타임을 검토하는 것은 특정 하드웨어에 의존하지 않는 일반적인 이해를 제공합니다.

예를 들어, 병합 정렬(merge sort) 알고리즘의 계산 복잡도는 O(n log(n))으로, 여기서 n은 목록에 있는 항목의 수입니다. 이는 모든 추상 컴퓨팅 모델에서 절차를 자유롭게 구현할 수 있음을 의미하며, 실제 런타임은 특정 머신의 성능에 따라 달라질 수 있습니다.

알고리즘 문제의 계산 과제를 일반적인 맥락에서 이해하는 것은 중요하며, 이는 알고리즘의 실행 가능성 또는 효율적인 계산 가능성을 평가하는 데 도움이 됩니다. 이는 알고리즘의 입력 크기 n에 대해 다항식 함수 p에서 실행 시간이 O(p(n))인 작업을 의미합니다.

머신러닝 작업에서 입력 크기의 개념은 종종 불분명할 수 있습니다. 알고리즘은 주어진 데이터의 하위 집합만을 검사할 수 있으며, 주요 목표 중 하나는 주어진 정보 내에서 패턴을 인식하는 것입니다. 이 장에서는 학습의 계산 난이도를 설명하고, ERM(경험적 위험 최소화) 규칙을 실제로 적용하는 데 따르는 계산상의 어려움을 탐구할 것입니다.

ERM 규칙을 신속하게 적용할 수 있는 챕터 클래스의 예를 제시한 후, 특정 학습 과제의 복잡성을 설명하는 방법에 대해 논의할 것입니다. 이는 특정 학습 과제를 효율적으로 실행할 수 있는 학습 알고리즘이 없음을 증명함으로써 이루어질 것입니다. 이러한 접근 방식은 학습 과정을 최적화하고 계산적으로 효율적인 학습 알고리즘을 찾는 데 도움을 줄 수 있습니다.

### 5.20 학습의 계산 복잡성

알고리즘의 실제 실행 시간은 초 단위로 측정되며, 이는 사용되는 장비에 따라 달라질 수 있습니다. 계산 복잡성 이론에서는 추상적인 머신 모델, 예를 들어 튜링 머신(Turing machine)이나 실수를 다루는 튜링 머신(Blum-Shub-Smale model) 같은 개념을 기반으로 합니다. 이러한 추상 모델을 사용함으로써, 알고리즘의 런타임을 장비에 독립적인 방식으로 분석할 수 있습니다.

알고리즘의 입력 크기와 관련하여 점근적 런타임 분석을 수행하는 것이 일반적입니다. 예를 들어, 병합 정렬 알고리즘의 경우, 정렬해야 하는 항목의 수(n)에 따라 필요한 시간을 측정합니다. 이 접근 방식을 통해 알고리즘의 효율성을 평가할 수 있습니다.

학습 알고리즘의 경우, "입력 크기"에 대한 명확한 정의가 없습니다. 하나의 접근 방식은 알고리즘에 제공된 훈련 집합의 크기를 입력 크기로 간주하는 것입니다. 그러나 이 방식은 학습 문제의 샘플 복잡도와 관련하여 비효율적일 수 있습니다. 학습 세트의 크기가 증가해도 학습 문제의 난이도가 반드시 증가하는 것은 아닙니다.

학습 알고리즘의 계산 복잡성을 분석할 때는 목표 정확도, 신뢰도, 도메인 집합의 차원, 또는 챕터 클래스의 복잡성과 같은 문제의 자연적인 매개변수를 고려하는 것이 유용할 수 있습니다. 예를 들어, 축에 정렬된 직사각형을 학습하는 알고리즘을 고려해 볼 수 있습니다. 이 문제의 계산 복잡성은 직사각형의 차원(d)과 학습의 정확도 요구 사항에 따라 달라질 수 있습니다.

학습 알고리즘은 출력 챕터를 단순히 훈련 세트를 메모리에 저장하는 함수로 선언할 수 있는 "치트"를 할 수 있습니다. 이 경우, 알고리즘은 테스트 예제 x가 주어질 때마다 훈련 집합을 기반으로 ERM 챕터를 계산하여 적용합니다. 이러한 접근 방식은 학습 과정의 계산 복잡성을 과소평가할 수 있습니다.

학습 알고리즘의 계산 복잡성에 대한 공식적인 정의를 개발하기 전에, 기본 추상 기계의 개념을 이해하는 것이 중요합니다. 이는 튜링 기계와 같은 모델을 포함할 수 있으며, 알고리즘의 계산 난이도를 평가하는 데 사용됩니다. 알고리즘의 계산 복잡성을 평가할 때는 알고리즘이 수행해야 하는 연산의 수를 세어보는 것이 일반적입니다. 이를 통해 알고리즘이 주어진 학습 문제를 효율적으로 해결할 수 있는지 여부를 판단할 수 있습니다.

학습의 계산 복잡성을 분석하는 것은 학습 알고리즘을 실제로 구현하고 실행할 때 발생할 수 있는 계산상의 어려움을 이해하는 데 도움이 됩니다. 이는 학습 과정을 최적화하고 계산적으로 효율적인 방법을 개발하는 데 중요한 기여를 합니다.

이는 mH() 크기의 훈련 집합을 활용하여 수행할 수 있습니다. mH() 크기의 훈련 집합을 사용하여 H에 대한 전체 검색을 수행하면, 완전 탐색 기법은 프로세스에 입력으로 제공되는 모든 지정되고 유한한 H에 대해 다항식 시간 내에 작업을

수행합니다. 또한, |Hn|의 값이 항상 n과 같다고 보장되는 문제 시퀀스를 구성하더라도, 철저한 탐색은 여전히 효율적인 방법으로 간주됩니다. 반면에, |Hn|이 2^n인 문제를 구성하면, 샘플 복잡도는 여전히 n에서 다항식이 되지만, 이 방법은 가능한 모든 해를 검색하기 때문에, 전체 검색 접근법의 컴퓨팅 비용은 n에 따라 기하급수적으로 증가하므로 비효율적입니다.

챕터 클래스가 항상 유한 클래스여야 한다는 제한은 스펙트럼의 더 허용적인 쪽에 있다고 주장할 수도 있습니다. 예를 들어, 10000비트 이하의 코드로 구성된 C++ 프로그램에서 구현할 수 있는 모든 예측자 집합을 통칭하여 "H"라고 할 수 있습니다. 유한한 수의 매개변수로 매개변수화할 수 있고 유한한 수의 비트를 사용하여 각 매개변수를 표현하는 것으로 만족할 수 있는 주어진 클래스도 유용한 유한 클래스의 또 다른 예입니다. 유클리드 공간에서 축이 정렬된 직사각형의 클래스인 $R^d$가 이러한 유형의 예시 중 하나입니다. 이 클래스는 각 특정 직사각형을 특징짓는 매개변수가 어느 정도 제

한된 정확도 이상으로 지정될 때 구성될 수 있습니다. 이전 장에서 mH() = clog(c | H | /ϵ)/c 공식이 유한 클래스를 학습할 때 샘플 복잡도의 상한을 나타낸다는 것을 보여주었습니다.

이 공식에서 c의 값은 해당 학습이 실현 가능한 경우 1과 같고, 해당 학습이 실현 불가능한 경우 2와 같습니다. 그 결과, 표본의 복잡성과 H의 크기 사이에는 불안정한 연관성만 존재합니다. 이전 C++ 프로그래밍 예시에서 2^10,000개의 가설이 있었음에도 불구하고 표본의 복잡성은 c(10,000+log(c/ϵ))/c에 불과했습니다. ERM 규칙은 사용 가능한 방법 중 하나인 철저한 검색을 수행하여 유한 챕터 클래스 전체에 걸쳐 간단한 방식으로 구현할 수 있습니다. 다시 말해, 0과 H 사이에서 생각할 수 있는 각 h 값에 대해 LS(h) 기호로 표시되는 경험적 위험을 결정한 다음, 이 위험을 실현 가능한 최소 수준으로 줄이는 챕터를 설계하는 것입니다. 단일 샘플에 대해 "(h, z)" 식을 실행하는 데 일정한 시간인 k가 소요된다고 가정하면, 이 전체 검색의 런타임은 k | H | m으로 표현할 수

있으며, 여기서 m은 훈련 집합의 크기입니다. 즉, 이 전수 검색의 런타임은 훈련 세트의 샘플 수에 비례합니다.

m이 앞서 언급한 샘플 복잡도의 상한이라고 가정하면 실행 시간은
k | H | clog(c | H | /ϵ)/c로 줄어듭니다. 대규모 클래스에 이 방법을 사용하는 것은 실행에 걸리는 시간이 H의 크기에 직접적으로 의존하기 때문에 낭비적일 뿐만 아니라 실행 불가능합니다.

n이 1보다 큰 문제 집합(Zn, Hn, Ln)을 만들어 로그(|Hn|)가
n이 되도록 하면 완전 검색 방법의 런타임은 기하급수적으로 증가합니다. C++ 프로그램의 예를 들어, Hn이 n 개 이하의 코드로 작성된 C++ 프로그램으로 구현할 수 있는 함수의 집합이라면 런타임은 n에 따라 기하급수적으로 증가하기 때문입니다. 이로부터 도출할 수 있는 결론은 전수 검색 기법은 현실 세계에서 발생하는 실제 시나리오에서 사용하기에 적합

하지 않다는 것입니다.

### 5.21 학습의 난이도

우리는 지금까지 ERMH 구축의 계산 난이도가 높다고 해서 클래스 H를 학습할 수 없다는 것을 의미하지는 않는다는 것을 증명했습니다. 학습과 관련된 문제가 계산적 방법으로 해결하기 어렵다는 것을 어떻게 증명할 수 있을까요? 여러 가지 방법 중 하나는 암호학적 가정을 사용하는 것입니다. 어느 정도까지는 암호학이 교육의 정반대라고 볼 수 있습니다. 교육의 목표는 우리가 접하는 다양한 사례의 근간이 되는 규칙을 발견하는 것이지만, 암호화의 목표는 해당 주제에 대해 부분적으로만 정확한 정보에 접근할 수 있더라도 그 누구도 비밀을 알아낼 수 없도록 하는 것입니다. 우리가 무언가를 배우려고 할 때 우리의 목표 중 하나는 특정 사례에서 일반화할 수 있는 일반적인 규칙을 찾는 것입니다.

특정 시스템의 암호화 보안에 관한 연구 결과는 이러한 높은 수준의 직관적인 의미에서 해당 시스템에 해당하는 작업의 비학습 능력에 관한 연구 결과로 해석됩니다. 유감스럽게도 현재 사용 가능한 방법으로는 특정 암호화 프로토콜을 해독할 수 없음을 증명할 수 있는 방법은 아직 없습니다. 예를들면, P≠NP라는 일반적인 생각조차도 이 목표에 적합하지 않습니다. 암호화 프로토콜이 안전하다는 것을 입증하는 프로세스를 시작하는 과정은 종종 특정 암호화 가정을 세우는 것으로 시작됩니다. 이는 일반적으로 사용되는 방식입니다. 이러한 가정이 암호화의 근거로 더 자주 활용될수록, 우리는 이러한 가정이 실제로 참이라고(또는 적어도 이를 거부하는 알고리즘을 발견하기 어렵다고) 더 확고하게 느끼게 됩니다.

모든 n과 [0, 1] 범위에 속하는 모든 x에 대해, 그리고 입력 [f(x), sn]에 대해 x를 출력하는 다항식 시간 방법이 있습니다. 이러한 유형의 단방향 함수를 트랩도어 단방향 함수라고 부릅니다. 즉, f를 반전시키는 것은 쉽지 않지만, 숨겨진 구획에 저장된 키를 가지고 있다면 가능합니다. 개인 키는 이러한 함수의 매개 변수를 결정하는 데 사용됩니다. 이제 [0, 1] 간격에는 다항식 시간이 걸리는 접근 방식을 사용하여 계산하는 트랩도어 함수군이 존재한다고 가정해 보겠습니다. 즉, 비밀 키(Fn에서 하나의 함수를 나타내는)와 입력 벡터가 주어지면 입력 벡터에서 비밀 키에 해당하는 함수의 값을 다항식 시간 내에 계산하도록 알고리즘을 설정합니다. 예를 들어, 일치하는 역함수의 클래스인 Hn F = f 1: f Fn을 마스터하는 과제를 예로 들어보겠습니다. Hn F 클래스는 이러한 키로 매개변수화할 수 있으며, 이 클래스의 모든 함수는 n의 다항식 크기를 갖는 비밀 키 sn에 의해 반전될 수 있으므로 그 크기는 최대 2p(n)입니다. 따라서 이를 완성하는 데 필요한 샘플의 수는 n의 다항식입니다.

그러나 이 책에서 강조하는 점은 모든 과정에 적용 가능한 효과적인 학습자란 존재하지 않는다는 것입니다. 만약 그러한 학습자 L이 있다면 {0, 1} n에서 다항식 수의 문자열을 무작위로 균일하게 샘플링하고 그 위에 f를 계산하여 라벨이 지정된 쌍(f(x), x)의 훈련 샘플을 생성할 수 있으며, 이는 학습자가 f -1(w)의 (δ) 근사치를 알아내는 데 충분할 것입니다.f의 범위에 걸쳐 균일한 분포)의 근사치를 구하는 데 충분해야 하는데, 이는 f의 단방향 속성을 위반하는 것입니다. 일찍이 Kearns & Vazirani 1994는 이 주제에 대한 보다 심도 있는 논의를 제공했습니다. 또한 연구자들은 환원을 사용하여 이를 증명했습니다. 다시 말하자면, 학습 알고리즘이 작업을 수행하는 데 필요한 시간은 학습 문제의 다양한 측면의 함수로서 탐구된다고 강조할 수 있겠습니다. 클래스를 빠르게 학습하는 데 사용할 수 있는 다른 방법이 있다는 사실에도 불구하고 특정 시나리오에서 이러한 ERM을 구현하는 것은 어려운 일입니다. ERM 규칙을 다양한 도전과 응용 사례는 다음 장에서 보다 구체적으로 살펴보겠습니다.

## 6.1 소개

이 장에서는 선형 예측자(linear predictors) 계열을 집중적으로 다룰 것입니다. 선형 예측자는 현대 실무에서 널리 활용되는 학습 알고리즘의 기반이 되며, 그 유용성으로 인해 본 장에서 중요하게 다루어집니다. 선형 예측자의 핵심 장점은 다양한 환경에서의 빠른 학습 가능성, 이해의 용이성, 폭넓은 적용 가능성, 그리고 대다수 자연스러운 학습 시나리오에서의 데이터 적합성에 있습니다. 본 장에서는 반공간(halfspaces), 선형 회귀 예측자(linear regression predictors), 로지스틱 회귀 예측자(logistic regression predictors) 등 다양한 유형의 선형 예측자를 살펴보고, 선형 프로그래밍(linear programming), 퍼셉트론 알고리즘(perceptron algorithm), 최소제곱법(least squares algorithm) 등의 학습 방법에 대해서도 논의할 것입니다. 선형 예측자 학습에 있어서 경험적 위험 최소화(ERM, Empirical Risk Minimization) 기법은 본 장을 통틀어 중점적으로 다룰 주제입니다. 다음 장에서는 본 장의 내용을 바탕으로 다른 교육학적 접근법을 탐구할 예정입니다.

## 6.2 선형 회귀

선형 회귀(Linear Regression)는 설명 변수(explanatory variables)의 집합과 실제 결과(outcomes) 사이의 관계를 모델링하는 데 자주 사용되는 통계적 방법입니다. 이 방법은 20세기 초에 개발되었으며, 학습 문제에서 도메인 집합 X는 $R^d$의 부분집합이고, 레이블 집합 Y는 실수 집합이 됩니다. 여기서 $R^d$는 d차원 실수 공간을 의미합니다. 선형 회귀는 $R^d$에서 R로의 선형 함수를 찾는 과정으로, 변수 간의 관계를 가장 잘 근사화합니다(예: 아이의 나이와 출생 시 몸무게를 기반으로 한 아이의 현재 몸무게 예측). 선형 회귀 예측자의 정의를 위해서는 선형 함수의 집합만 있으면 충분합니다. 이후 단계는 회귀 문제에 적합한 손실 함수(loss function)를 설계하는 것입니다.

손실 함수의 정의는 분류 문제에서는 h(x)가 y를 정확히 예측하는지 여부를 나타내므로 간단합니다. 반면, 회귀 문제에서는 신생아의 몸무게가 3kg일 때, 3.00001kg과 4kg으로의 예측 모두 정확하지 않지만, 3.00001kg으로의 예측이 4kg보다 선호됩니다. 이는 3.00001kg 예측이 실제 체중에 더 근접하기 때문입니다. 따라서
h(x)와 y 사이의 차이에 대한 일정 수준의 "처벌"을 부여하는 것이 중요합니다.

제곱 손실 함수(squared loss function) 사용은 회귀 문제에서 일반적인 전략 중 하나입니다. 본 섹션에서는 제곱 손실을 기반으로 한 선형 회귀의 ERM 규칙을 탐구하고, 이를 어떻게 적용할 수 있는지 살펴볼 것입니다. 물론, 절대값 손실 함수(absolute loss function) ∣h(x)-y∣와 같은 다른 손실 함수도 사용할 수 있습니다. 절대값 손실 함수에 대한 ERM 규칙은 선형 프로그래밍을 통해 개발할 수 있습니다(자세한 내용은 연습 문제 1 참조). 선형 회귀는 이진 예측 작업이 아니므로, 샘플 복잡성(sample complexity) 평가에 VC 차원

(VC dimension)을 사용할 수 없습니다. 이는 중요한 점으로 기억해야 합니다. 벡터 w의 각 요소와 바이어스 b를 제한된 비트 수(예: 64비트 부동 소수점 표현)로 표현하는 것에 만족한다면, 클래스는 유한하며 그 크기는 최대 $2^{64(d+1)}$이 됩니다.

이른바 "이산화 트릭"(discretization trick)은 선형 회귀의 샘플 복잡성을 조사하는 데 사용될 수 있는 방법입니다. 이제 이 지식을 바탕으로, 제공된 유한 클래스에 대한 샘플 복잡도 제약 조건을 적용할 수 있습니다. 손실 함수가 바인딩되어야 한다는 점을 기억하는 것이 중요합니다. 본서의 후속 장에서는 회귀 문제의 샘플 복잡도를 분석하는 데 더 엄격한 접근법을 소개할 것입니다.

선형 예측자는 다양한 학습 알고리즘의 기본 구성 요소로, 실무에서 광범위하게 활용됩니다. 분리 가능한 시나리오에서는 제로-원 손실(zero-one loss)에 대해 선형 예측자를 효율적으로 학습하는 방법을 보여주었습니다. 실현 불가능한 시나리오에서는 제곱 손실과 로지스틱 손실(square and logistic loss)에 대한 선형 예측자 학습 방법을 소개했습니다.

다음 장에서는 성공적인 학습을 가능하게 하는 손실 함수의 특성에 대해 논의할 것입니다. 선형 예측자가 주어진 분포에 대해 낮은 위험도를 달성할 수 있다는 가정 하에, 이는 선형 예측자의 효과성을 당연시하는 근거가 됩니다. 다음 장에서는 기본 클래스 위에 선형 예측자를 쌓아 올리고, 이 과정을 통해 생성된 모델을 결합하여 비선형 예측자(non-linear predictors)를 구성하는 방법을 소개할 것입니다. 이를 통해 선형 예측자를 다양한 사전 지식 가정에 적용할 수 있는 방법을 탐구할 것입니다.

## 6.3 부스팅

부스팅(boosting)은 이론적인 문제에서 출발하여 현재는 매우 유용한 머신러닝 방법론으로 발전한 알고리즘 패러다임입니다. "부스트(boost)"라는 용어는 "강화하다" 또는 "향상시키다"의 의미를 담고 있습니다. 부스팅 기법은 선형 예측자의 일반화를 기반으로 하며, 본 교재 초기에 제기된 두 가지 주요 문제를 해결하는 데 적용됩니다. 첫 번째 고려 사항은 복잡성(complexity)과 이해의 용이성(usability) 사이의 균형입니다. 앞서 설명한 바와 같이, ERM 기반 학습자의 오차는 구성 요소인 추정 오차(estimation error)와 근사 오차(approximation error)로 나눌 수 있으며, 이 두 오차의 합이 총 오차를 구성합니다. 클래스의 표현력이 높아질수록 근사 오차는 감소하지만 추정 오차는 증가합니다.

이에 따라 학습자는 이 두 가지 측면 사이에서 최적의 균형을 찾는 데 어려움을 겪게 됩니다. 부스팅 패러다임을 통해 학습자는 이러한 트레이드오프를 상대적으로 쉽게 조절할 수 있습니다. 학습 과정은 기본 클래스에서 시작하여 점차 예측자가 속할 수 있는 클래스를 세분화함으로써 진행됩니다. 부스팅이 해결해야 하는 두 번째 문제는 계산 부담(computational burden)입니다. 많은 개념을 포함하는 클래스의 경우, ERM 기반의 최적 선택은 계산적으로 불가능할 수 있습니다.

부스팅 알고리즘은 학습 능력이 부족한 학습자(weak learners)가 더 높은 수준의 정확도를 달성할 수 있도록 지원합니다. 약한 학습자를 구성하는 한 방법은 간단한 '경험 법칙'(heuristics)을 사용하여 규칙을 생성하는 것입니다. 이러한 경험 법칙은 비교적 학습하기 쉬운 클래스에서 규칙을 생성하지만, 무작위 추측보다 약간 나은 성능을 제공합니다. 일반적으로, 이러한 유형의 알고리즘은 무작위 추측보다 성능이 낮다고 평가됩니다. 부스팅은 이러한 약한 가설들을 결합하여 더 복잡한 클래스에 대해 우수한 예측자를 구성하는 방법입니다. 이 방법은 약한 학습자를 신속하게 구현할 수 있을 때 특히 유용합니다. 본 장에서는 적응형 부스팅(adaptive boosting)의 약자이며 실용적인 부스팅 알고리즘인 AdaBoost에 대해 살펴보고 연구할 것입니다. AdaBoost는 적응형 부스팅을 의미하며, Google에서 개발되었습니다.

AdaBoost 알고리즘의 결과물은 기본 가설의 조합으로 구성된 규칙입니다. 즉, AdaBoost는 단순한 클래스 위에 선형 예측자를 쌓아 올림으로써 생성되는 규칙 클래스의 집합을 기반으로 합니다. AdaBoost를 사용하여 단일 매개변수를 조정함으로써 근사 오차와 추정 오차 사이의 균형을 관리하는 방법을 설명할 것입니다. 이를 통해 모델의 정확도를 조절할 수 있습니다. AdaBoost는 본 교재의 후반부에서 다룰 일반적인 주제의 예시로, 선형 예측자를 다른 함수 위에 쌓아 올려 표현력을 강화하는 개념을 보여줍니다. 이 개념은 책의 뒷부분에서 더 자세히 다룰 것입니다. AdaBoost는 약한 학습자를 강한 학습자로 '부스트'할 수 있는지에 대한 이론적 질문에서 출발하여, 이 질문을 심도 있게 탐구할 것입니다. 이 주제는 1988년 Michael Kearns와 Leslie Valiant에 의해 처음 제기되었으며, 당시 MIT에서 박사 과정을 밟고 있던 Robert Schapire가 1990년에 해결책을 제시했습니다.

그러나 제안된 방법은 실제 적용에는 적합하지 않았습니다. Yoav Freund와 Robert Schapire는 1995년에 AdaBoost 알고리즘을 고안함으로써, 실제 환경에서 활용 가능한 첫 번째 부스팅 구현을 제시했습니다. 이들의 연구는 여러 상을 수상하며, 부스팅이 학습 이론이 실질적인 영향을 미칠 수 있음을 보여주는 훌륭한 예시가 되었습니다. 부스팅은 이론적인 주제에서 시작하여 현재는 다양한 애플리케이션에서 활용되는 알고리즘으로 발전했습니다. 실제로, AdaBoost는 얼굴 인식과 같은 분야에서 성공적으로 적용되었습니다.

AdaBoost는 가중치가 부여된 샘플 오차가 0.5를 초과하지 않는 규칙을 제공합니다. 유니온 바운드(union bound)를 사용하면, 약한 학습자가 어떤 반복에서도 실패하지 않을 확률이 최소 1-T임을 알 수 있습니다. 이는 약한 학습자의 정의가 실패 확률을 내포하며, 이는 다시 학습자가 실패할 가능성을 의미합니다. 연습 문제 1에서 보인 바와 같이, 표본 복잡도(sample complexity)의 의존성이 항상 $1/\epsilon$의 로그에 비례함을 알 수 있으므로, 약한 학습자를 소수만 호출해도 문제가 없음을 알 수 있습니다. 따라서 T의 값도 상대적으로 낮게 설정할 수 있습니다. 약한 학습자는 훈련 집합에 대한 분포에만 적용되므로, 실패할 가능성이 없는 방식으로 약한 학습자를 구성할 수 있는 경우가 많습니다.

## 6.4 모델 선택 및 검증

이전 장에서는 AdaBoost 기법을 검토하고, AdaBoost의 매개변수 T가 바이어스-복잡성 트레이드오프에 어떤 영향을 미치는지 살펴보았습니다. 이번 장에서는 AdaBoost에 대한 논의를 계속하면서, T를 어떻게 설정하면 좋을지, 그리고 보다 일반적으로, 실제 문제에 직면했을 때 다양한 알고리즘과 그 매개변수 중 최적의 선택을 어떻게 식별할 수 있을지에 대해 탐구합니다. 실제 문제 해결 시, 다양한 알고리즘과 각 알고리즘의 다양한 매개변수 설정이 가능한 해결책을 제공할 수 있습니다. 이 과정을 모델 선택이라고 합니다.

예를 들어, 1차원 회귀 함수 h:R→R를 마스터하는 것의 복잡성을 고려해 보세요. 우리는 훈련 집합에 잘 맞는 다항식의 차수 d를 결정해야 합니다. 낮은 차수의 다항식은 데이터에 잘 맞지 않을 수 있고(근사 오차 증가), 높은 차수의 다항식은 과적합을 유발할 수 있습니다(추정 오차 증가). 이러한 상황에서 차수가 2, 3, 10인 다항식을 데이터에 적용한 결과를 첨부된 그림에서 확인할 수 있습니다. 경험적 위험이 낮아지는 것은 조사 수준이 높아질수록 자연스러운 결과입니다.

그러나, 직관적으로 차수를 3으로 설정하는 것이 10으로 설정하는 것보다 더 합리적일 수 있습니다, 왜냐하면 3은 관리가 더 용이하기 때문입니다. 따라서 모델 선택 시 경험적 위험만을 고려하는 것은 충분하지 않습니다. 다음 장에서는 모델 선택 프로세스에 대한 두 가지 접근 방식을 소개할 것입니다. 첫 번째는 구조적 위험 최소화(SRM, Structural Risk Minimization) 패러다임을 활용하는 것이며, SRM은 특히 편향-복잡성 트레이드오프를 조절하는 매개변수에 의존하는 상황에서 유용합니다. 두 번째 접근 방식은 학습 집합을 훈련 및 검증 집합으로 나누어, 후보 모델 중 가장 정확한 예측을 제공하는 모델을 식별하는 것입니다.

### 6.5 SRM을 사용한 모델 선택

SRM 패러다임은 편향과 복잡성 사이의 최적의 균형을 찾기 위해 사용됩니다. 예를 들어, 다항식 회귀의 경우, 차수 d가 다른 다항식 집합 $H^d$를 고려할 수 있습니다. $H^d$는 차수가 d

이하인 다항식의 집합으로 정의됩니다. AdaBoost가 사용하는 클래스 L(B,d) 역시 이러한 접근 방식의 예시입니다. SRM을 사용하면, 샘플 복잡도 함수가 특정 형태를 가정함으로써, 다항식 회귀에서 복잡도가 높은 10차 다항식보다 낮은 3차 다항식을 선택하는 것이 합리적일 수 있음을 알 수 있습니다. 이는 10차 다항식이 더 낮은 경험적 위험을 가질 수 있음에도 불구하고, 복잡도(함수 g(d)에 반영됨)가 훨씬 낮기 때문입니다.

SRM(SRM, Structural Risk Minimization) 접근 방식은 특정 상황에서 유용할 수 있지만, 실제 세계의 다양한 애플리케이션에서 제공하는 상한은 종종 지나치게 비관적일 수 있습니다. 이에 대한 대안으로, 학습 시스템의 출력 예측자가 제기하는 실제 위험에 대한 더 정확한 평가를 얻고자 하는 목표를 추구합니다. 이는 학습 과정에서 자주 추구하는 목표입니다. 지금까지 우리는 챕터 클래스와 관련된 예측 오차에 대한 제약 조건을 성공적으로 도출했습니다. 이러한 제약 조건은 가설의 실제 위험이 경험적 위험과 크게 다르지 않다는 유용한 정보를 제공하지만, 모든 가설과 가능한 데이터 분포에 적용될 수 있다는 점에서 이 제약 조건들은 너무 관대하거나 비관적일 수 있습니다.

훈련 데이터의 일부를 검증 집합으로 사용하면, 그렇지 않은 경우보다 실제 위험에 대한 더 정확한 예측을 생성할 수 있습니다. 이 검증 집합은 알고리즘의 출력 예측의 정확성을 평가하는 데 사용될 수 있으며, 이 과정을 유효성 검사(validation)라고 합니다.

모델 선택 프로세스가 실제 위험에 대한 보다 정확한 평가를 통해 이점을 얻을 수 있다는 것은 자연스러운 일입니다. 모델 선택 과정에서 검증을 활용하는 방법은 다음과 같습니다: 제공된 훈련 데이터를 사용하여 다양한 접근 방식(또는 다양한 매개변수 설정)을 훈련시킵니다. H를 서로 다른 알고리즘에 의해 생성된 모든 출력 예측자의 집합이라고 가정해 봅시다. 예를 들어, 다항식 회귀 모델을 훈련시키면, 각 시간마다 다른 차수 r의 다항식 회귀 결과를 생성합니다. H에서 단일 예측자를 선택하기 위해, 먼저 새로운 검증 집합을 샘플링하고, 그 검증 집합에 적용했을 때 가장 낮은 오류를 생성하는 예측자를 선택합니다. 이 과정은
$ERM_H$ 방법을 검증 데이터 세트에 적용하는 것과 유사합니다.

중요한 차이점은 H가 고정되어 있지 않고, 훈련 세트에 따라 달라진다는 것입니다. 훈련 집합과 검증 집합이 서로 구별되는 경우, 검증 집합은 H의 선택에 영향을 받지 않습니다. 이는 검증 집합 오차가 H가 과도하게 크게 설정되지 않은 경우 실제 오차의 좋은 추정치가 될 수 있다는 것을 의미합니다. 그러나 너무 많은 대안을 시도하면, 데이터를 과적합할 위험이 있으며, 이는 검증 집합의 크기에 비해 H의 크기가 지나치게 커질 수 있음을 의미합니다.

1차원 다항식 피팅 시나리오를 다시 고려해 보면, 모델 선택 과정 전반에 걸쳐 유효성 검사의 유용성을 보여줍니다. 차수가 2, 3, 10인 다항식으로 훈련 집합을 표시하고, 추가 검증

집합을 빨간색 원으로 표시합니다. 차수 10의 다항식이 훈련 중에는 가장 낮은 오차를 보이지만, 검증 중에는 차수 3의 다항식이 전체적으로 가장 낮은 오차를 보여 가장 좋은 모델로 선택됩니다. 모델 선택 곡선은 훈련 오류와 검증 오류를 모델의 복잡성에 따라 그래픽으로 표현한 것입니다. 다항식의 차수가 증가함에 따라 학습 오차는 감소하는 반면, 유효성 검사 오류는 초기에 감소하다가 이후 증가하기 시작하며, 이는 과적합의 징후입니다.

이 특정 머신러닝 방법에서 매개변수는 실수 값을 가집니다. 우리는 대략적인 값의 그리드로 시작하여 발생한 상황에 적합한 모델 선택 곡선을 제시합니다. 이 곡선을 바탕으로 올바른 방향으로 주의를 기울이고 더 세분화된 그리드를 사용하여 탐색을 진행합니다. 이 과정은 최적의 결과를 도출하기 위해 필수적입니다. 예를 들어, 다항식을 적합시킬 때 '1, 10, 20'과 같은 초기 값 집합에서 시작하여 생성된 곡선을 바탕으로 더 세밀한 그리드를 적용하는 것이 중요합니다. 그렇지 않으면 부적합한 모델을 얻게 됩니다.

데이터 검증 절차는 충분한 데이터 공급과 새로운 검증 세트를 샘플링할 수 있는 능력을 전제로 합니다. 이 두 조건이 충족될 때만 절차가 성공적으로 수행될 수 있습니다. 그러나 특정 애플리케이션에서는 데이터가 부족할 수 있으며, 가능한 한 데이터를 유효성 검사에 낭비하지 않으려는 노력이 필요합니다. k-폴드 교차 검증은 데이터를 과도하게 소모하지 않으면서도 실제 오류에 대한 정확한 추정치를 제공하는 기법입니다. k-폴드 교차 검증에서는 초기 훈련 집합을 k개의 하위 집합으로 나누고, 각 하위 집합은 전체 데이터의 1/k를 차지합니다.

알고리즘은 먼저 k-1개의 폴드를 사용하여 학습하고, 남은 한 폴드를 사용하여 모델의 정확도를 평가합니다. 이 과정을 k번 반복하여 모든 오류의 평균을 계산함으로써 실제 부정확도에 대한 근사치를 얻습니다. LOO(Leave-One-Out) 교차 검증은 샘플 수 k가 전체 샘플 수와 동일한 특수한 경우입니다. k-폴드 교차 검증은 모델 선택이나 매개변수의 미세 조정 과정에서 자주 활용됩니다. 최적의 매개변수를 결정한 후에는 이를 전체 학습 데이터에 적용하여 알고리즘을 재학습합니다.

교차 검증은 다양한 시나리오에서 뛰어난 성능을 발휘하지만, 실패할 가능성도 배제할 수 없습니다. Rogers와 Wagner(1978)는 교차 검증 방법이 k-최근접 이웃과 같은 로컬 기준에 대한 실제 오류를 잘 추정한다는 것을 보여주었습니다.

실제 상황에서는 처리할 데이터를 세 가지 범주로 나눕니다: 훈련 세트, 유효성 검사 세트, 그리고 테스트 세트. 훈련 세트는 알고리즘 학습에, 유효성 검사 세트는 모델 성능 평가에, 테스트 세트는 최종 성능 검증에 사용됩니다. 이 과정을 통해 학습된 모델의 실제 오류를 추정합니다.

학습 과제를 수행할 때, 적절한 챕터 클래스와 학습 기법을 선택하고, 검증 세트를 통해 매개변수를 조정한 후, 테스트 세트에서 모델의 성능을 평가합니다. 만약 테스트 결과가 만족스럽지 않다면, 다양한 측면을 조정할 필요가 있습니다. 이는 학습 과정 전반에 걸쳐 유효성 검사의 중요성을 강조합니다.

이러한 오류의 발생 원인을 파악하고, 그에 따라 적절한 조치를 취하는 것이 중요합니다. 여러 가지 수정 가능한 측면을 고려해야 합니다. 문제 해결에 앞서, 성능 저하의 근본 원인을 정확히 이해하는 것이 필수적입니다. 추정 오차는 $h*$ LD(hS)-LD(h)로 표현되며, 여기서 hS는 훈련 세트 S를 기반으로 한 훈련된 예측자를, h*는 최적의 가설을 나타냅니다. 근사 오차는 최적의 가설 h*에 대해
LD(h*)로 표현되며, 추정 오차는 $h*$LD(hS)-LD(h*)로 표현됩니다. 이 클래스에 의해 생성된 근사치는 샘플의 크기나 사용 방법에 관계없이 일정한 부정확도 수준을 유지합니다. 이 상황에서 관련 변수는 분포 D와 챕터 클래스 H에만 적용됩니다.

따라서 근사 오차가 크다면, 훈련 집합의 크기를 늘리는 것은 효과가 없으며, 챕터 클래스의 크기를 줄이는 것도 문제 해결에 도움이 되지 않습니다. 이 상황에서 고려할 수 있는 두 가지 방법은 챕터 클래스의 크기를 더 많은 수의 학생으로 확장하거나, 완전히 새로운 챕터 클래스 형태로 재설계하는 것입니다(추가 기록 데이터에 액세스할 수 있는 경우). 또한, 동일한 챕터 클래스를 데이터의 다른 특성 표현에 적용할 수도 있습니다.

추정 오차가 크다면 추가 학습 샘플을 수집하는 것이 유익할 수 있습니다. 그러나 현재 상황을 고려할 때 챕터 수업을 확대하는 것은 합리적인 선택이 아닙니다. 오류 분석 및 고장 검증은 이 프로세스를 통해 적용될 것입니다. 우리가 직면한 문제가 근사 오차의 결과인지, 아니면 추정 오차의 결과인지를 파악하는 것은 적절한 해결책을 찾는 데 매우 중요합니다.

검증 세트에 대한 경험적 위험을 활용하여, 이 장의 앞부분에서 논의한 바와 같이, 클래스 전체에 대한 총 근사 오차를 결정하는 것은 복잡한 작업입니다. 클래스의 근사치와 관련된 오차 범위가 상대적으로 작을지라도, $L_S(h_S)$의 값이 높을 수 있습니다. 예를 들어, ERM 구현 방식에 오류가 있었고, 그 결과로 ERM이 아닌 다른 예측자 $h_S$가 생성되었을 수 있습니다. ERM 예측자를 결정하는 것이 계산적으로 어려운 경우, 프로그램은 휴리스틱을 사용하여 ERM의 근사치를 생성하려고 시도할 수 있습니다.

특정 상황에서 $h_S$가 ERM 예측자와 비교하여 얼마나 효과적인지 판단하기 어려울 수 있습니다. 그러나 다른 잠재적 결과를 조사할 수 있는 몇 가지 상황이 있습니다. 예를 들어, 다음 장에서는 컨벡스 학습 문제를 살펴볼 것입니다. 이러한 문제에는 최적화 접근 방식이 ERM 솔루션에 도달했는지 여부를 확인할 수 있는 최적성 조건이 있습니다. 알고리즘이 초기화되는 무작위성에 따라 결과가 달라질 수 있으므로, 다양한 시작점을 사용하여 알고리즘을 여러 번 실행하여 더 나은 솔루션이 있는지 확인할 수 있습니다.

그림 6.1은 학습 곡선의 예시를 보여줍니다. 왼쪽 그림은 예제 수가 클래스의 VC 차원보다 항상 작은 시나리오를, 오른쪽 그림은 근사 오차가 0이고 예제 수가 클래스의 VC 차원보다 큰 시나리오를 나타냅니다. 이 두 시나리오 모두에서, $L_S(h_s)$의 값은 0과 같습니다. 이를 통해 학습 곡선을 그려 두 가지 다른 경우를 구분할 수 있으며, 이는 다양한 데이터 크기에 대한 알고리즘의 학습 및 유효성 검사 오류를 계산함으로써 수행됩니다.

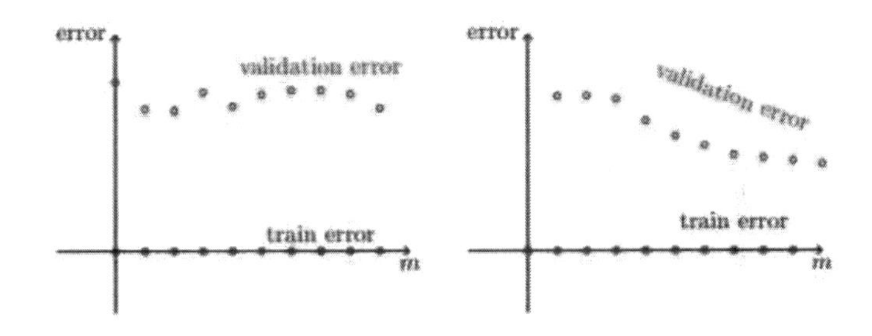


**그림 6.1** 학습 곡선의 예시.
왼쪽: 이 학습 곡선은 예제 수가 클래스의 VC 차원보다 항상 작은 시나리오에 해당함.
오른쪽: 이 학습 곡선은 근사 오차가 0이고 예제 수가 클래스의 VC 차원보다 큰 시나리오에 해당함.
출처: 머신러닝의 이해: 이론에서 알고리즘까지 데이터 수집 및 처리, 2014

이러한 접근 방식은 앞서 제시된 두 가지 예를 구분하는 데 유용할 수 있으며, 학습 곡선은 특정 시나리오에서 유효하지 않은 접두사의 비율이 상대적으로 50%에 가까울 것이라는 가정 하에, 유효성 검사 오류가 감소하기 시작하는 시점을 보여줄 수 있습니다. 이는 훈련 세트 크기가 VC 차원보다 커지면 발생합니다.

데이터의 양이 증가함에 따라 각 데이터 포인트를 설명하는 것이 점점 더 어려워집니다. 이는 표본 크기가 고정되어 있어도 마찬가지입니다. 반면, 표본 크기를 증가시키고 유효성 검사 오류를 줄이는 것 사이에는 분명한 연관성이 있습니다. VC 차원이 유한한 값을 가질 때, 표본 크기를 무한히 확장하면 검증 오류와 훈련 오류가 근사 오류에 수렴하게 됩니다.

훈련 곡선과 검증 곡선을 분석함으로써, 우리는 근사 오류의 범위를 예측하거나, 적어도 어느 정도의 근사치를 얻을 수 있습니다. 이는 근사 오류에 대한 교육적인 예측을 가능하게 합니다.

만약 학습된 예측자 $L_S(h_S)$의 오류가 낮지만 검증 오류가 높다면, 이는 훈련 세트의 크기가 클래스 H의 전문성을 달성하기에 충분하지 않음을 의미합니다. 따라서, 우리는 알고리즘의 결함을 해결하기 위한 가장 효과적인 방법을 찾아야 합니다. 유효성 검사 오류가 높고 $L_S(h_S)$가 낮은 상황에서는, 유효성 검사 오류를 줄이기 위해 데이터의 양을 증가시키거나, 챕터 클래스를 단순화하는 것이 좋은 전략일 수 있습니다.

### 6.6 컨벡스 학습 문제

컨벡스 학습 문제는 중요한 학습 과제 범주에 속하며, 대부분의 효과적인 학습 방법이 이 범주에 포함됩니다. 과거에는 로지스틱 회귀와 제곱 손실을 포함한 선형 회귀가 볼록 문제 해결에 주로 사용되었습니다. 이러한 방법들은 회귀 분석에서 널리 적용되며, 간단하고 직관적입니다. 반면, 0-1 손실을 포함한 비볼록 문제는 계산적으로 학습하기 어려운 것으로 알려져 있습니다.

볼록 학습 문제는 챕터 클래스가 볼록 집합이고, 각 예제에 대한 손실 함수가 볼록 함수인 경우를 말합니다. 볼록성, 립스키츠성, 평활성과 같은 추가적인 특성은 성공적인 학습을 위해 볼록성을 보완합니다. 이 장에서는 볼록 학습 문제의 기본 개념과 이러한 추가적인 특성에 대해 설명하고, 볼록-평활성 및 립스키츠 경계가 있는 문제를 효율적으로 학습할 수 있는 방법을 소개합니다.

마지막으로, 비볼록 손실 함수 대신 볼록한 대리 손실 함수를 최소화함으로써 특정 비볼록 문제를 해결하는 방법을 탐구합니다. 이 접근법은 더 효율적인 솔루션을 제공할 수 있지만, 학습된 예측자와 관련된 위험을 증가시킬 수 있음을 주의해야 합니다.

## 6.7 컨벡스 학습 문제의 학습 가능성

볼록 학습 문제는 다양한 환경에서 효과적으로 ERM(경험적 위험 최소화) 규칙을 적용하여 해결할 수 있음을 주장했습니다. 이는 볼록성이 학습 가능성을 보장하는 중요한 요소임을 시사합니다. 그러나 볼록성만으로 학습 가능성을 완전히 판단할 수는 없습니다. VC 이론을 통해, 우리는 d차원의 절반 공간을 학습할 수 있음을 알게 되었고, '이산화 트릭'을 통해 d개의 매개변수를 가진 문제를 d의 함수로서의 샘플 복잡도로 학습할 수 있음을 증명했습니다. 이는 d가 고정된 값일 경우, 해당 주제가 학습 가능해야 함을 의미합니다.

그러나 이는 $R^d$에 대한 복잡한 볼록 학습 문제가 존재하지 않을 가능성을 시사합니다. 예를 들어, 낮은 d값에서도 해결할 수 없는 볼록 학습 문제가 존재합니다. 이러한 문제들은 VC 이론이 이진 분류에 초점을 맞추고 있기 때문에, 볼록 학습 문제의 넓은 범위와 모순되지 않습니다.

## 6.8 정규화와 안정성

볼록-립시츠 경계와 볼록-평활 경계를 가진 학습 문제에 대해 앞서 논의했습니다. 이번 장에서는 정규화된 손실 최소화(RLM)를 통해 이러한 문제들을 해결하는 방법을 소개합니다. RLM은 경험적 위험과 정규화 함수의 합을 최소화함으로써 최적의 솔루션을 찾는 학습 패러다임입니다. 정규화 함수는 모델의 복잡성을 측정하며, 이는 구조적 위험 감소 패러다임과 관련이 있습니다. 정규화는 학습 알고리즘의 안정성을 높이는 역할을 하며, 안정적인 학습 규칙은 과적합을 방지하는 데 도움이 됩니다.

## 6.9 안정된 규칙과 과적합의 예방

학습 알고리즘의 입력에 작은 변화가 출력에 큰 변화를 초래하지 않는 경우, 해당 알고리즘은 안정적이라고 할 수 있습니다. 안정성의 개념은 학습 알고리즘의 과적합을 방지하는 데 중요한 역할을 합니다. 알고리즘 A가 훈련 세트 S에 적용될 때, 알고리즘 출력의 실제 위험 LD(A(S))와 경험적 위험

LS(A(S)) 사이에 큰 차이가 없다면, 알고리즘은 과적합되지 않은 것으로 간주할 수 있습니다. 이는 안정적인 학습 규칙이 과적합을 방지하고, 실제 환경에서 효과적으로 작동할 수 있음을 의미합니다.

이전 섹션에서 언급했듯이, 본 장에서는 학습 알고리즘의 안정성에 초점을 맞추며, 특히 ES[LD(A(S)) - LS(A(S))]로 표현되는 기대값에 대해 깊이 다룰 것입니다. 안정성은 다음으로 고려해야 할 중요한 요소입니다. S의 i번째 인스턴스를 z0으로 대체하여 얻은 훈련 집합을 S(i)로 정의합니다. 즉, (z1, ..., zi-1, z0, zi+1, ..., zm)으로 구성된 집합입니다. 이는 훈련 집합 S에서 단 하나의 인스턴스만 변경하는 것을 의미합니다. 이 작은 입력 변화가 A의 출력에 미치는 영향을 zi에 대한 A(S)의 손실과 zi에 대한 A(S(i))의 손실을 비교함으로써 정량화할 수 있습니다.

알고리즘이 첫 번째 상황에서 예제 zi를 경험하지 않고, 두 번째 상황에서 경험한다고 가정할 때, 성공적인 학습 알고리즘은 이 차이가 0에 가까워야 합니다. 이 차이가 크다면, 알고리즘이 데이터에 과적합될 가능성이 높습니다. 정리 13.2는 학습 알고리즘이 평균적으로 안정적일 때만 과적합 문제가 발생하지 않음을 명시합니다. 하지만, 알고리즘이 과적합되지 않는다고 해서 반드시 효과적이라는 의미는 아닙니다. 예를 들어, 항상 동일한 출력을 생성하는 알고리즘은 과적합되지 않지만, 반드시 유용하지는 않습니다.

효율적인 알고리즘은 학습 집합에 잘 적합하면서(즉, 낮은 경험적 위험을 가지면서) 과적합되지 않는 출력을 선택할 수 있어야 합니다. 이는 알고리즘이 훈련 집합에 잘 맞으면서도 안정적인 성능을 유지해야 함을 의미합니다. RLM 규칙은 훈련 집합의 적합성과 안정성 사이의 균형을 달성하는 데 도움을 줍니다.

안정적인 규칙은 과적합을 방지한다는 점을 이전에 배웠습니다. RLM 규칙과 티호노프 정규화를 결합함으로써, 볼록하고 립시츠 또는 평활한 손실 함수를 가진 문제에 대해 안정적인 학습 방법을 제공할 수 있습니다. 이는 학습 알고리즘의 성능과 관련된 두 가지 주요 요소, 즉 훈련 집합에 대한 적합성과 실제 위험 간의 차이를 최소화하는 데 중점을 둡니다.

이 장에서는 안정성과 과적합 사이의 관계를 탐구하고, 볼록-립시츠 경계 및 볼록-평활 경계 문제에 RLM 규칙을 적용할 때 얻을 수 있는 이점을 설명합니다. 또한, 릿지 회귀와 서포트 벡터 머신 같은 잘 알려진 학습 알고리즘은 RLM 패러다임을 기반으로 하며, 이는 볼록-립시츠 및 볼록-평활 경계 문제를 효과적으로 해결할 수 있음을 보여줍니다.

마지막으로, 안정성은 학습 이론에서 중요한 역할을 하며, Hadamard와 같은 초기 연구자부터 최근의 연구까지 다양한 맥락에서 탐구되어 왔습니다. 배깅과 같은 방법론은 학습 알고리즘의 안정성을 향상시키는 데 사용될 수 있으며, 이는 과적합을 방지하고 학습 가능성을 높이는 데 기여합니다.

## 6.10 확률적 경사 하강

학습의 목적은 위험 함수의 최소값을 찾는 것입니다. 이는
LD(h)=E

$_{z\sim D}[\ l(h,z)]$로 표현됩니다. 위험 함수는 알려지지 않은 분포 D에 의존하기 때문에 직접 최소화하기 어렵습니다. 본 책에서는 경험적 위험을 기반으로 한 학습 절차를 주로 다루었습니다. 즉, 훈련 집합

S를 선택하고, 경험적 위험 함수 LS(h)를 정의하는 것에서 시작합니다. 이후 학습자는 LS(h)의 결과에 따라 어떤 가설 h를 선택할지 결정합니다. 예를 들어, ERM 규칙은 가설 클래스 H 중에서 LS(h)가 가장 낮은 가설을 선택하도록 합니다.

또한, 이전 장에서는 정규화된 위험 최소화에 대해 논의했습니다. 이는 LS(h)와 h에 대한 정규화 함수를 동시에 최소화하는 가설을 선택하는 것입니다. "확률적 경사 하강(SGD)"은 이러한 문제를 해결하는 독특한 접근법입니다. 본 장에서는 SGD에 대해 자세히 알아보겠습니다. SGD는 볼록 가설 클래스 H에서 파생된 가설 w를 최적화하는 과정을 포함합니다.

SGD는 경사 하강법을 사용하여 위험 함수 LD(w)를 직접 최소화하려고 시도합니다. 이 방법은 현재 위치에서 함수의 기울기 반대 방향으로 이동함으로써 솔루션을 점진적으로 개선합니다. 분포 D를 모르기 때문에 LD(w)의 기울기를 직접 계산할 수 없습니다. 이 문제는 SGD 알고리즘을 통해 해결됩니다. 이 알고리즘은 예상되는 방향이 기울기보다 작거나 같으면 최적화 방법이 선택한 방향으로 한 걸음씩 나아갈 수 있도록 합니다.

SGD의 핵심은 분포 D를 몰라도 기울기의 편향되지 않은 추정치를 사용하여 업데이트를 수행할 수 있다는 점입니다. 이 접근법은 복잡한 볼록 최적화 문제에도 적용될 수 있으며, 정규화된 위험 최소화와 비교했을 때 구현이 간단하면서도 효율적입니다.

## 6.11 확률적 경사 하강(SGD)

SGD에서는 업데이트 방향이 정확한 기울기를 따를 필요가 없습니다. 대신, 임의의 방향에서 기울기의 편향되지 않은 추정치를 사용하여 업데이트를 수행합니다. 이 방법은 최적화 과정에서 다양한 방향으로 탐색을 가능하게 하며, 이는 특히 복잡한 최적화 문제에서 유용할 수 있습니다.

SGD의 샘플 복잡성은 정규화된 위험 최소화와 유사하며, 이는 SGD가 효율적인 동시에 실용적인 학습 방법임을 의미합니다. 본 장에서는 SGD의 기본 원리와 함께, 볼록 함수에 대한 SGD의 수렴 속도와 하위 기울기를 사용한 미분 불가능한 함수의 최적화 방법에 대해 논의합니다.

SGD는 복잡한 학습 문제를 해결하는 데 있어 강력한 도구입니다. 이는 분포 D에서 무작위로 선택된 한 지점에서 시작하여, 그 지점에서의 손실 함수의 하위 기울기를 기반으로 위험 함수의 기울기에 대한 편향되지 않은 추정치를 사용하여 점진적으로 솔루션을 개선해 나갑니다. 이 과정은 적절한 반복 횟수와 함께, 학습 문제에 대한 효과적인 해결책을 제공할 수 있습니다.

이 장에서는 SGD를 통해 복잡한 학습 문제를 어떻게 효율적으로 해결할 수 있는지에 대한 깊은 이해를 제공합니다. 다음 장에서는 SGD와 관련된 다양한 최적화 문제에 대해 더 자세히 탐구할 예정입니다.

## 6.12 서포트 벡터 머신

고차원 특징 공간에서 선형 예측 모델을 개발하는 것은 서포트 벡터 머신(SVM)이라고 불리는 머신러닝 방법론의 핵심 목표입니다. 특징 공간의 차원이 매우 높을 경우, 샘플의 복잡성과 계산 복잡성이 크게 증가합니다. SVM은 '큰 마진'을 가진 분류기를 찾음으로써 이러한 복잡성 문제를 해결합니다. 즉, 모든 데이터 포인트가 분류 경계로부터 상당한 거리를 유지하며 올바른 쪽에 위치하는 분류기를 찾는 것을 목표로 합니다. 이 접근법은 특징 공간의 차원이 매우 높거나 심지어

무한대일지라도 적용될 수 있습니다. 본 장에서는 마진의 개념을 소개하고, 이가 SVM의 수렴 속도와 정규화된 손실 최소화 모델과 어떻게 연결되는지 설명합니다. 다음 장에서는 커널 기법을 통해 계산 복잡성 문제를 다루는 방법을 소개하겠습니다.

## 6.13 Soft-SVM

실선과 점선으로 표현된 검정색 하이퍼플레인과 녹색 하이퍼플레인을 비교할 때, 우리는 직관적으로 검정색 하이퍼플레인을 선호하게 됩니다. 이는 검정색 하이퍼플레인이 더 큰 마진을 제공하기 때문입니다. 마진은 하이퍼플레인과 훈련 데이터 포인트 사이의 최소 거리로 정의됩니다. 큰 마진은 하이퍼플레인 주변에 충분한 공간이 있음을 의미하며, 이는 모델의 일반화 능력을 향상시킵니다.

하드 SVM은 가능한 가장 큰 마진을 가진 분류 경계를 찾는 학습 규칙입니다. 이 규칙은 훈련 데이터를 선형적으로 완벽하게 분리할 수 있는 경우에 적용됩니다. 하드 SVM의 목표는 마진을 최대화하는 동시에 모든 훈련 데이터가 올바른 쪽에 분류되도록 하는 것입니다.

이 접근법은 특히 고차원 데이터에서 유용하며, SVM의 VC 차원은 데이터의 차원수에 따라 결정됩니다. 이는 SVM이 고차원 데이터를 효과적으로 학습할 수 있음을 의미합니다. 하지만, 데이터가 선형적으로 완벽하게 분리 가능하지 않은 경우에는 소프트 마진 SVM이라고 불리는 방법이 사용됩니다. 소프트 마진 SVM은 일부 데이터 포인트가 잘못 분류되는 것을 허용함으로써 더 유연한 모델을 생성합니다.

결론적으로, SVM은 고차원 데이터에 대해 강력한 성능을 발휘하는 머신러닝 모델입니다. 마진의 개념을 통해 모델의 일반화 능력을 향상시키며, 커널 기법을 사용하여 비선형 데이터를 효과적으로 처리할 수 있습니다. 다음 장에서는 SVM을 활용한 다양한 학습 문제와 커널 기법에 대해 더 자세히 다루겠습니다.

다음 장에서는 고차원 특징 공간에서 정보를 학습하는 것의 중요성에 대해 논의합니다. 특히, 손실 함수가 립시츠 연속성(Lipschitz continuity)을 만족해야 하므로, X에 대한 요구 사항 중 하나는 제한된 노름(norm)을 가진 벡터를 포함해야 한다는 것입니다. 이는 손실 함수가 립시츠 연속성을 만족해야 한다는 필수적인 요구 사항입니다. 이 문제는 단순한 의미론적 문제가 아닙니다. 앞서 언급했듯이, 인스턴스의 전체 크기에 대한 제한 없이 큰 마진으로 의미 있는 분리를 달성하는 것은 불가능합니다. 이러한 제한은 사전에 설정되어야 합니다. 실제로, 규모에 대한 제약이 없다면 모든 인스턴스에 대규모 스칼라를 곱하여 항상 마진을 확장할 수 있습니다.

## 6.14 규범 기반 바운드와 마진(경계)의 차원 비교

하드 SVM과 소프트 SVM에서 얻은 경계를 결정할 때, 인스턴스 공간의 차원은 중요한 역할을 하지 않습니다. 대신, 경계는 예제들의 규범을 기준으로 설정되며, 예제들의 규범은 ||x||로 표시되고, 절반 공간의 규범은 B로 표시됩니다. 반면에 d는 균질 반 공간 클래스의 VC 차원에 할당된 값입

니다. 이는 $p=d/m$ 비율이 높아질수록 ERM 모델의 오류율이 낮아진다는 것을 의미합니다.

문서를 벡터로 표현하는 한 가지 전략은 '단어 가방(bag of words)' 모델을 사용하는 것입니다. 이 모델에서는 문서를 d 차원 벡터 $x \in \{0,1\}$ d로 표현합니다. 여기서 d는 사전에 포함된 총 단어 수입니다. 문서에 특정 단어가 포함되어 있으면 해당 단어의 인덱스에 해당하는 $x_i$의 값이 1로 설정되고, 그렇지 않으면 0으로 설정됩니다.

SVM 규칙을 사용하여 반 공간을 학습하는 것과 일반 ERM 접근 방식을 사용하여 반 공간을 학습하는 것 사이에는 큰 차이가 있을 수 있습니다. 이는 SVM 규칙이 ERM 방식보다 복잡한 문제에 더 효과적으로 대응할 수 있기 때문입니다. 하지만, VC 바운드가 SVM 바운드보다 우수한 문제를 구축하는 것은 불가능하지 않지만 더 어렵습니다.

SVM은 큰 마진을 선호하는 귀납적 편향을 도입함으로써 추정 오류를 줄이는 데 도움을 줄 수 있지만, 근사 오류를 증가시킬 가능성도 있습니다. SVM, 특히 서포트 벡터 머신은 반 공간을 학습하는 강력한 기법으로, 특정 종류의 사전 지식, 특히 큰 마진에 대한 선호도가 필요합니다. Soft-SVM은 데이터의 분리 가능성을 전제로 하지 않고 일정 수준의 한계 위반을 허용하는 반면, Hard-SVM은 최대 마진을 유지하며 데이터를 완벽하게 분리하는 반 공간을 찾습니다.

이러한 접근 방식은 계산 복잡성과 샘플 복잡성에 대한 의문을 제기합니다. 첫 번째 문제는 다음 장에서 다룰 커널 기법과 함께 SVM을 사용하여 해결할 수 있으며, 두 번째 문제는 SVM을 사용하여 해결할 수 있습니다. 다음 장에서는 주어진 도메인을 고차원 특징 공간에 임베딩하는 방법을 포함하여 챕터 클래스를 강화하는 방법에 대해 논의할 것입니다.

## 7.1 소개

여러 가능한 대상 클래스 중 하나로 인스턴스를 분류하는 과정을 다중 클래스 분류(Multi-class Classification)라고 합니다. 본질적으로, 우리의 목표는 입력 X가 주어졌을 때, 가능한 모든 카테고리 Y 중에서 X가 어떤 카테고리에 속하는지 예측하는 것입니다. 예를 들어, 문서의 주제를 분류하거나 (여기서 X는 문서의 집합, Y는 가능한 주제들의 집합), 특정 사진 속 객체를 식별하는 것(여기서 X는 사진의 집합, Y는 가능한 객체들의 집합)과 같은 응용 분야에서 다중 클래스 분류가 활용됩니다. 다중 클래스 학습 문제의 중요성으로 인해, 이를 해결하기 위한 다양한 기법들이 개발되었습니다. 특히, 다중 클래스 분류 문제를 이진 분류 문제로 변환하는 전략이 가장 간단한 접근 방법 중 하나로 여겨집니다.

본 장에서는 가장 흔히 사용되는 두 가지 환원 기법과 이들

기법의 주요 한계점을 검토하고, 다양한 클래스를 포함하는 문제에 적합한 선형 예측자들을 소개합니다. 이 내용은 이전 장에서 소개된 RLM(Regularized Linear Models) 및 SGD(Stochastic Gradient Descent) 프레임워크를 기반으로 합니다. 이어서, 변수 Y의 범위가 넓으며 원래 구조의 일부를 유지하는 복잡한 예측 문제에 다중 클래스 머신러닝을 적용하는 방법을 설명합니다. 이러한 문제는 Y가 원래 구조의 일부를 유지하므로 해결하기 어렵습니다. 이 과정을 구조화된 출력 학습(Structured Output Learning)이라고 부릅니다.

특히, 이 방법은 손으로 쓴 단어를 식별하는 문제에 적용될 수 있는데, 이 경우 Y는 유한한 길이의 가능한 모든 문자열 집합을 의미합니다(즉, Y의 크기는 단어의 최대 길이에 따라 기하급수적으로 증가합니다). 또한, '관련성'에 기반하여 인스턴스 집합을 순서대로 배열하는 랭킹 문제에 대해 논의하고, 랭킹 문제를 해결하기 위한 선형 예측자를 효과적으로 훈련하는 방법 및 랭킹 예측자의 성능을 측정하기 위한 메트릭에 대해 설명합니다.

## 7.2 구조화된 출력 예측

구조화된 출력 예측 문제는 Y가 매우 크고 미리 정해진 구조를 가진 다중 클래스 문제를 의미합니다. 이러한 문제는 서포트 벡터 머신(Support Vector Machine, SVM)과 같은 기법을 사용하여 해결할 수 있습니다. 효율적인 알고리즘 개발 과정에서 구조는 필수적인 요소입니다. 예를 들어, 광학 문자 인식(OCR)의 경우, 손으로 쓴 단어의 이미지가 주어졌을 때, 그 이미지가 표현하는 단어를 식별하는 문제를 생각해 볼 수 있습니다. 이미지를 여러 개의 서브 이미지로 나누어 각각이 하나의 문자를 나타내게 할 수 있다고 가정하면, 문제를 더 쉽게 이해할 수 있습니다. 이 경우, 이미지의 시퀀스는 X로, 문자의 시퀀스는 Y로 표현됩니다. 단어의 최대 길이가 증가함에 따라 Y의 크기가 증가한다는 점을 유념해야 합니다.

이전 부분에서 다룬 선형 예측자 제품군을 이용해 구조 예측 문제를 해결할 수 있습니다. 특히, 문제에 적합한 손실 함수를 정의하고, 효과적인 클래스별 특징 매핑을 결정하는 것이 중요합니다. 이 두 과정을 완료해야만 다음 단계로 진행할 수 있습니다. "좋은" 특징 매핑은 선형 예측자를 테스트했을 때 적절한 오차 범위를 보이는 매핑을 의미합니다. 이 단계를 마친 후, 예를 들어 SGD 학습 프로세스를 활용할 수 있습니다.

하지만, Y의 크기가 매우 큰 경우 몇 가지 문제가 발생할 수 있습니다.

- 다중 클래스 예측을 수행하기 위해, Y와 관련된 최적화 문제를 해결해야 합니다. Y가 매우 클 때, 어떻게 정확한 예측을 할 수 있을까요?

- W를 효과적으로 훈련하는 방법은 무엇일까요? 구체적으로, SGD 규칙을 적용하기 위해서는 Y와 관련된 최적화 문제를 해결해야 합니다.

- 과적합(Overfitting)을 어떻게 방지할 수 있을까요?

앞서 설명한 내용에서, 선형 다중 클래스 예측자를 학습할 때, 샘플의 복잡성이 학습하는 클래스의 수에 직접적으로 의존하지 않는다는 것을 보여주었습니다. 이제 해결해야 할 것은 발견된 평균값이 허용 가능한 수준을 넘지 않는지 확인하는 것입니다. 이를 통해 과적합 문제를 해결할 수 있습니다. 문제의 구조를 이용해 계산을 단순화함으로써, 계산적 어려움을 극복할 수 있었습니다.

이러한 접근 방식을 OCR 작업에 적용하는 예시를 다음에서 설명하겠습니다. 프레젠테이션을 단순화하기 위해, 각 단어의 길이를 r, 알파벳의 고유 문자 수를 q라고 가정합니다.

Y와 Y0의 두 가지 경우를 고려해 보겠습니다. 즉, 시퀀스 내에서 문자 i가 문자 j 다음에 나타나는 빈도를 계산하는 것입니다. 예를 들어, 'qu' 쌍이 한 단어에서 자주 나타나거나 'rz' 쌍이 드물게 나타날 수 있다는 직관을 표현할 수 있습니다. 일부 특징은 별로 유용하지 않을 수 있으므로, 학습 과정의 목표는 벡터 w를 학습하여 각 특징에 가중치를 할당하는

것입니다. 이를 통해 특징의 중요도에 따라 우선순위를 매길 수 있으며, 가중치가 부여된 점수가 신뢰할 수 있는 예측을 제공할 것으로 기대됩니다.

## 7.3 이원적 순위 및 다양한 성능 측정 방법

이전 섹션에서는 사물을 평가하는 것의 복잡성에 대해 논의했습니다. 여기서는 y = R^r 형태의 벡터를 사용하여 요소 x1부터 xr까지의 순위를 표현합니다. 이는 우리의 목적을 달성하기 위한 접근 방식입니다. y의 모든 요소가 집합 내 다른 모든 요소와 구별될 수 있을 때만, y는 [r]에 대한 완전한 순서를 나타냅니다. 그러나, 다른 두 요소 yi와 yj가 같은 값을 가질 때(yi = yj, i ≠ j), y는 [r]에 대해 부분 순서만을 제공합니다. 이러한 상황에서는 xi와 xj가 y와 관련하여 동일한 중요도를 갖는다고 확신할 수 있습니다. 가장 극단적인 경우, y는 단일 실수와 같으며, 이는 모든 xi가 주제와 관련 있거나 전혀 관련 없음을 의미합니다. 이런 유형의 순위 시스템을 " 이원적 순위"라고 합니다.

예를 들어, 사기 탐지 소프트웨어는 거래를 금액에 따라 사기(i = 1) 또는 정상(i = 0)으로 분류합니다. 먼저 이진 분류기를 훈련시킨 후 각 인스턴스에 적용하여 긍정적 점수를 받은 예시를 순위 목록 상단에 배치함으로써 이원적 순위 문제를 해결할 수 있습니다. 이 방법이 효과적인 것처럼 보일 수 있습니다.

그러나 이진 분류기의 목표는 종종 제로-원 손실(또는 그 대체재)을 최소화하는 것이지만, 순위 결정자의 목표는 다를 수 있으므로 이 방법은 이상적이지 않은 성능을 낳을 수 있습니다. 대부분의 거래가 위험하지 않다고 가정할 때(예: 99.9%), 모든 거래를 "양성"으로 예측하는 이진 분류기는 0.1%의 오류율을 가집니다. 하지만 사기 탐지의 목적상, 이런 접근법은 쓸모가 없습니다. 핵심 문제는 제로-원 손실이 우리가 가장 관심 있는 요소를 적절히 반영하지 못한다는 것입니다. 제로-원 손실은 예측의 성과를 측정하기 위한 다양한 방법 중 하나입니다. 예를 들어, 이전 섹션에서는 NDCG 손실과 같이 중요도 순으로 상위에 위치한 항목의 정확성에 중점을 둔 성과 척도를 정의했습니다. 다음 섹션에서는 이원적 순위 문제에 적합한 추가 손실 함수에 대해 논의할 예정입니다.

간단히 하기 위해, 각 인스턴스가 d비트로 구성된 벡터이며 d는 비트의 수라고 가정합시다. 이 경우, 단일 특성에 대한 임계값 설정은 [d] 중 일부 값 i에 대해 1[xi=1] 규칙을 적용하는 것과 유사합니다. 예를 들어, 파파야가 연한 녹색에서 연한 노란색의 색상과 손바닥 압력에 굴복하는 정도의 부드러움으로 특징 지어진다고 가정하면, 이 정보를 기반으로 파파야의 의사 결정 트리를 모델링할 수 있습니다. 이 비트들은 파파야가 연한 녹색에서 연한 노란색인지를 결정하는 데 도움을 줍니다.

이 접근 방식은 문제를 간소화하지만, 제시된 프로세스와 분석은 더 일반화된 시나리오에도 적용될 수 있습니다. 간소화된 가정에도 불구하고, 클래스의 VC 차원이 2d임을 알 수 있으며, 이는 필요한 인스턴스의 수가 d에 따라 증가함을 의미합니다. MDL(Minimum Description Length) 전략을 사용하여, 특정 크기 이하의 나무를 더 큰 나무보다 우선 처리해야 합니다. 이 언어는 접두사를 사용하지 않으며, 더 적은 비트를 사용하여 더 간결한 의사 결정 트리를 생성해야 하며, 이는 가능한 접근 방법 중에서 하나로 꼽을 수 있습니다.

노드가 n개인 트리를 설명하기 위해, 각각의 n + 1 블록은 로그2(d + 3) 비트의 크기를 가집니다. 이 블록들은 트리의 n개 노드를 깊이 우선 순서(선순위)로 인코딩하며, 마지막 블록은 더 이상의 유효한 코드가 없음을 나타냅니다. 각 블록에는 현재 노드의 활성 상태를 나타내는 표시가 포함됩니다. 방정식 (18.1)에 따라 LD(h)의 최소화를 통해 최적의 트리를 찾는 것은 의사 결정 트리에 대한 학습 규칙을 제안합니다. 이 최적화 과정은 상당한 계산 노력을 요구할 것으로 보이며, 실제 의사 결정 트리 학습 알고리즘은 탐욕적인 접근 방식과 같은 휴리스틱에 의존합니다. 이 접근 방식으로 항상 최적의 트리를 보장할 수는 없으나, 실제로는 대체로 우수한 성능을 제공합니다.

의사 결정 트리를 구축할 때의 일반적인 접근법은 다음과 같습니다: 하나의 루트 노드(잎)에서 시작하여, 학습 데이터 세트의 모든 레이블 중 과반수의 표를 받은 레이블로 이 잎의 이름을 지정합니다. 그 다음, 여러 반복 과정을 통해 나뭇잎을 분할하고, 각 분할에서 얻은 진전을 추정할 수 있는 "이득" 지표를 활용하여 결정을 내립니다. 이 과정은 ID3 알고리즘 등에서 볼 수 있는 문제를 포함하며, 결과적으로 생성된 트리의 크기가 상당히 클 수 있고, 이로 인해 발생할 수 있는 위험이 존재합니다. 이를 해결하기 위한 방법으로는 알고리즘의 실행 횟수에 제한을 두거나, 트리 형성 후 가지치기를 하는 방법이 있습니다. 이러한 전략은 트리의 크기를 관리하기 쉬운 수준으로 줄이면서 동일한 수준의 경험적 오류를 유지하는 것을 목표로 합니다.

## 7.4 랜덤 포레스트

랜덤 포레스트는 의사 결정 트리의 집합으로 구성된 분류기입니다. 이 기법은 Breiman(2001)에 의해 처음 제안되었으며, 각 트리는 알고리즘 A와 독립적이고 동등하게 분포된 무작위 벡터를 사용하여 구성됩니다. 랜덤 포레스트의 예측은 각 트리의 추측에 다른 트리들의 추측을 기반으로 한 가중치를 부여하여 결정됩니다.

랜덤 포레스트를 효과적으로 사용하기 위해서는 알고리즘 A와 해당 분포를 명확히 정의해야 합니다. 이를 위한 과정은 먼저 훈련 집합 S에서 교체를 포함한 하위 샘플을 무작위로 선택하는 것으로 시작합니다. 이후에는 선택된 샘플을 사용하여 의사 결정 트리를 구축합니다. 이 과정은 k가 작을 경우 과적합을 방지할 수 있으며, 결과적으로 생성된 의사 결정 트리는 계산적으로 효율적인 해결책을 제공합니다.

랜덤 포레스트와 관련된 도전은 의사 결정 트리의 복잡성과 과적합을 관리하는 것입니다. 다양한 휴리스틱 훈련 전략을 통해 이러한 문제를 해결하려는 시도가 있으며, 이는 의사 결정 트리를 효과적으로 학습하는 데 중요한 역할을 합니다.

## 7.5 가장 가까운 이웃(KNN)

가장 가까운 이웃(K-Nearest Neighbors, KNN) 방법은 머신러닝 알고리즘 중에서 가장 기본적인 형태 중 하나입니다. 이 방법의 핵심은 학습 데이터 세트를 메모리에 저장한 다음, 새로운 인스턴스에 대해 지리적으로 가장 가까운 학습 데이터 세트 인스턴스의 레이블을 참조하여 예측 레이블을 결정하는 것입니다. 이러한 접근 방식의 기본 가정은 비슷한 특성을 가진 데이터 포인트들이 유사한 레이블을 갖는 경향이 있다는 것입니다.

비록 학습 데이터 세트가 큰 경우에도, 특정 상황에서는 비교적 빠르게 가장 가까운 이웃을 찾을 수 있습니다. 예를 들어, 학습 데이터 세트가 인터넷 전체이고, 데이터 포인트 간의 거리가 네트워크 연결의 강도에 따라 결정된다고 할 때, 효율적으로 가장 가까운 이웃을 찾는 것이 가능합니다.

KNN 방법은 미리 정의된 함수 클래스 내에서 최적의 예측자를 선택하지 않고, 모든 테스트 지점에 대해 실시간으로 레이블을 결정합니다. 이 방법은 분류 및 회귀 문제를 해결하는 데 사용될 수 있으며, 그 효과는 샘플 크기가 증가함에 따라 얼마나 잘 작동하는지에 대한 연구를 통해 입증되었습니다.

그림 7.1은 1-NN 규칙의 결정 경계를 보여주며, 이는 공간을 보로노이 테셀레이션으로 나누어 각 새로운 데이터 포인트의 예측 레이블을 결정합니다.

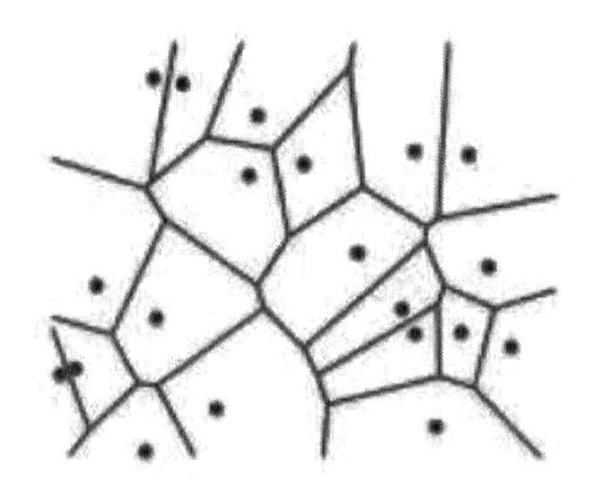

**그림 7.1** 1-NN 규칙의 결정 경계가 어떻게 표시될 수 있는지를 보여주는 예시. 표시된 점은 샘플 점이며, 각각의 새로운 점에 대해 예측되는 레이블은 해당 점이 속한 셀의 중앙에 위치한 샘플 점의 레이블이 됨.
출처: 머신러닝 이해하기: 이론부터 알고리즘까지 데이터 수집 및 처리까지, 2014

KNN 규칙의 일반화 능력은 이론적 연구와 실제 성공을 통해 입증되었습니다. 특히, 샘플 크기가 무한대로 증가할 때 KNN 규칙의 성능이 어떻게 변화하는지에 대한 점근적 일관성이 연구되었습니다.

## 7.6 권장 사항의 효과적인 적용

"가장 가까운 이웃" 규칙을 효과적으로 적용하기 위해서는 학습 데이터 세트를 전체적으로 저장하고, 새로운 인스턴스를 평가할 때 이 데이터 세트를 검토하여 적절한 이웃을 찾아야 합니다. kd-tree, 볼트리, 지역 민감 해싱(LSH)과 같은 근사 검색 알고리즘을 사용하여 검색 프로세스를 개선할 수 있습니다. 이러한 근사 방법은 가장 가까운 이웃을 찾는데 필요한 계산 비용을 줄여줍니다.

NN 규칙의 효과는 샘플 크기가 증가함에 따라 오차율이 감소하는 방식과 데이터 분포의 특성에 따라 달라질 수 있습니다. 하지만 "차원의 저주"로 인해 필요한 샘플 크기가 데이터의 차원에 따라 기하급수적으로 증가할 수 있습니다. 이를 해결하기 위해 데이터의 차원을 줄이는 전처리 단계가 종종 실무에서 적용됩니다. 다음 부분에서는 차원 축소 기법에 대해 자세히 설명하겠습니다.

## 7.7 신경망

"가장 가까운 이웃(Nearest Neighbor, NN)"으로 알려진 규칙은 효과적인 학습을 위해 반드시 숙지해야 하는 중요한 원칙입니다. 이 방법은 훈련 데이터 세트 전체를 저장하고, 예측을 위해 테스트 시점에 전체 데이터 세트를 검토하여 가장 적합한 이웃을 찾는 과정을 포함합니다. NN 규칙을 적용하는 데 필요한 시간은 일(day)과 월(month)을 나타내는 표기법(d, m)으로 표현됩니다. d가 상대적으로 낮은 경우, 계산 기하학에서의 발전 덕분에 O(dlog(m))의 시간 안에 NN 규칙을 적용할 수 있는 데이터 구조가 제안되었습니다. 그러나 이러한 데이터 구조가 요구하는 공간은 대략 mO(d)로, d가 큰 경우 이 전략을 적용하는 것은 실현 불가능합니다.

이 문제를 해결하기 위해, 근사 최근접 검색(Approximate Nearest Neighbor, ANN)을 활용하여 검색 과정을 개선할 수 있다는 제안이 있었습니다. 이 방식은 가장 가까운 이웃과의 거리가 r배를 넘지 않는 범위 내에서 점을 검색할 수 있도록 보장합니다. 이 거리를 'r-근사 검색 창'이라고 합니다. 널리 사용되는 근사화 알고리즘으로는 kd-트리, 볼트리, 지역 민감 해싱(Local Sensitive Hashing, LSH) 등이 있습니다. k-NN(k-Nearest Neighbors) 규칙은 "비슷한 것은 비슷하게 분류된다"는 직관을 기반으로 하는 간단한 학습 전략입니다. 조건부 확률의 립시츠 연속성(Lipschitz continuity)을 활용하여 이 직관을 공식화할 수 있습니다.

훈련 집합이 충분히 클 경우, 1-NN과 관련된 위험은 베이지안 최적 규칙과 관련된 위험의 최대 두 배로 제한됩니다. 이는 '차원의 저주(Curse of Dimensionality)'라고 불리는 현상과 관련이 있으며, 차원이 증가함에 따라 필요한 샘플 크기가 기하급수적으로 증가한다는 것을 의미합니다. 이러한 이유로, 실제 적용에서는 데이터의 차원을 줄이는 전처리 단계가 자주 사용됩니다. 다음 절에서는 차원 축소 방법에 대해 논의하겠습니다.

## 7.8 상호 연결된 피드포워드 신경망

신경망은 여러 뉴런이 서로 연결되어 복잡한 수학적 연산을 수행하기 위해 상호 작용하는 구조를 기반으로 합니다. 뉴런은 그래프의 노드로 기능하며, 방향이 지정된 에지는 한 뉴런의 출력을 다른 뉴런의 입력으로 연결합니다. 이 구조는 피드포워드 네트워크 토폴로지에 해당하며, 기본적으로 사이클이 없는 방향성 비순환 그래프(Directed Acyclic Graph, DAG)로 정의됩니다. 각 뉴런의 모델링은 간단한 스칼라 함수로 수행되며, 여기에는 부호 함수(sign function), 임계값 함수(threshold function), 그리고 시그모이드 함수(sigmoid function) 등이 포함됩니다.

네트워크의 각 층은 비어 있지 않은 비교적 구별되는 하위 집합으로 구성되며, 이는 네트워크의 계층적 구조를 형성합니다. 입력 레이어는 네트워크의 가장 하단에 위치하며, 입력 데이터를 받아들입니다. 네트워크에 입력 벡터가 주어질 때, 각 뉴런은 특정 출력을 생성하며, 이는 네트워크를 통해 전파되어 최종 출력을 생성합니다.

네트워크의 '깊이'는 루트 노드를 제외한 레이어 수로 정의되며, '폭'은 네트워크 내 가장 넓은 레이어의 뉴런 수로 정의됩니다. 이러한 구조는 복잡한 함수를 모델링하는 데 사용될 수 있으며, 신경망의 설계와 최적화는 이러한 구조적 특성을 고려하여 이루어집니다.

부울 회로는 논리 연산을 수행하는 뉴런의 네트워크로, 각 뉴런은 입력에 대한 논리적 연산(AND, OR, NOT)을 구현합니다. 회로의 복잡성은 함수를 계산하는 데 필요한 뉴런의 수로 정량화됩니다. 이는 컴퓨터 소프트웨어 처리의 각 단계를 메모리 상태의 변화로 설명할 수 있음을 의미합니다.

따라서 네트워크의 각 계층에 있는 뉴런은 특정 시점에서 컴퓨터의 메모리 상태를 나타내며, 네트워크의 다음 계층으로의 변환을 위해서는 네트워크가 스스로 수행할 수 있는 간단한 계산이 필요합니다. 이러한 변환을 위해 네트워크는 컴퓨터의 메모리 상태를 효과적으로 나타낼 수 있어야 합니다. 부호 활성화 함수(sign activation function)를 사용하는 부울 회로(Boolean circuit)와 네트워크 간의 관계를 증명하기 위해서는 연결, 분리 및 부정 연산을 수행할 수 있음을 보여줘야 합니다. 이를 통해 두 유형의 네트워크 사이의 연결성을 입증할 수 있습니다. 부호 활성화 함수를 활용하면 부호 연산자(sign operator)를 작동시킬 수 있다는 점이 명확해집니다. 다음 정리는 부호 활성화 함수가 입력의 연결과 분리를 수행할 수 있음을 증명합니다. 이러한 기능은 부호 활성화 함수의 능력을 입증합니다.

숨겨진 계층이 하나뿐이고 깊이가 2인 네트워크를 예로 들어 보겠습니다. 이 유형의 네트워크는 숨겨진 계층이 단 하나라는 점에서 특징 지어집니다. 매립 계층에 속한 각 뉴런은 절반 공간 예측자(half-space predictor) 역할을 합니다 덕분에. 출력 계층에는 하나의 뉴런이 추가되며, 숨겨진 계층의 뉴런이 생성하는 이진 출력 위에 절반의 공간이 존재합니다. 출력 계층에는 단 하나의 뉴런만 존재합니다. 과거에 증명된 바와 같이, 반 공간을 활용하면 결합 함수(combine function)를 구성할 수 있습니다. 이러한 유형의 네트워크와 관련된 가설은 k+1개의 반공간의 교차점을 설명할 수 있는 모든 것을 포함하며, 여기서 k는 숨겨진 계층을 구성하는 뉴런의 총 수입니다. 다시 말해, k개의 면을 가진 모든 볼록 다면체(convex polytope)를 설명할 수 있다는 의미입니다. 다음 예는 다섯 개의 반공간의 교차점을 보여줍니다: V2 계층에 위치한 뉴런이 값 x가 볼록 다면체에 포함되는지 여부를 판단할 수 있는 함수를 구축할 수 있음을 보여줍니다.

추가 계층을 도입하고 출력 계층에 위치한 뉴런이 입력의 결합을 구현할 수 있도록 함으로써, 볼록 다면체의 결합을 계산할 수 있는 네트워크를 구축할 수 있습니다. 이는 볼록 다면체의 합을 계산할 수 있는 네트워크를 생성함으로써 달성됩니다. 이러한 함수의 적용 예는 다음과 같습니다. 언급된 어려움을 극복하는 한 방법은 학습 목적상 최소한의 경험적 오차로 예측자 H를 식별하는 것이며, 정확한 경험적 위험 최소화(Empirical Risk Minimization, ERM)가 필요하지 않을 수 있습니다. 이는 최소한의 경험적 오류로 예측 변수 h를 식별할 수 있는 가능성을 고려함으로써 달성됩니다. 그러나 경험적 오차가 거의 없는 가중치를 선택하는 과정조차도 계산적으로 어렵다는 것이 입증되었습니다.

네트워크의 아키텍처를 변경하여 테스트에서 제기된 문제를 해결하는 것도 고려할 수 있습니다. 즉, 초기 네트워크 아키텍처에 ERM을 적용하는 것이 계산적으로 어려울 수 있지만, 다른 대규모 네트워크에 적용하면 실행이 간단해질 수 있습니다. 추가로 고려할 수 있는 옵션은 다양한 활성화 함수(예: 시그모이드 함수 또는 계산적으로 효율적인 다른 유형의 활성화 함수)를 사용하는 것입니다. 이러한 모든 기법이 의도한 목적에 실패할 가능성이 있다는 것을 시사하는 데이터는 충분합니다. 표현 독립적 학습 모델에서도 반공간의 교차점을 학습하는 문제는 어려운 것으로 알려져 있습니다(Klivans and Sherstov, 2006 참조). 실제로, 반공간의 교차를 학습하는 것은 어려운 문제로 알려져 있습니다.

특정 암호화 가정 하에서, 반공간의 교차를 포함하는 클래스를 성공적으로 학습하는 것이 불가능하다는 것이 입증되었습니다. 이는 반공간의 교차가 필수 구성 요소이기 때문에, 반공간의 교차를 포함하는 클래스를 학습하는 것이 불가능하다는 것을 의미합니다. 신경망 훈련에 활용되는 잘 알려진 휴리스틱의 기반은 확률적 경사 하강법(Stochastic Gradient Descent, SGD) 프레임워크입니다. 이 책의 앞부분에서, 손실 함수가 볼록한 상황에서 SGD가 효율적인 학습자임을 확인했습니다. 신경망 손실 함수는 볼록하지 않은 것으로 악명 높지만, 여러 실제 문제와 마찬가지로, 구현 가능한 솔루션을 생성할 수 있기를 바라며 SGD 알고리즘을 적용할 수 있습니다.

위험 함수 $L_D(w)$를 최소화하기 위한 SGD 전략은 여기에서 확인할 수 있습니다. 목적 함수가 본질적으로 볼록하지 않기 때문에, 몇 가지 수정을 통해 의사 코드를 다시 작성해야 합니다. 우선, w를 0 벡터로 초기화하는 대신, 무작위로 선택되고 0에 가까운 값을 가진 벡터로 초기화합니다. 네트워크가 전체 계층 네트워크인 경우, 0 벡터로 초기화하면 모든 숨겨진 뉴런의 가중치가 동일해질 수 있습니다. 또한, SGD 기법을 여러 번 실행하고 매번 새로운 무작위 벡터로 프로세스를 시작하면, 궁극적으로 적절한 국부 최소값에 도달할 가능성이 있습니다.

손실 함수가 볼록하지 않기 때문에, 수열 t의 선택이 중요하며, 실제로 시행착오를 통해 최적의 결과를 얻기 위해 조정됩니다. 볼록한 문제와 달리, 비볼록 문제에서는 가변 스텝 크기를 사용하는 것이 더 적합합니다. 검증 집합에서 전반적으로 가장 좋은 성능을 달성하는 벡터를 선택하는 것이 세 번째 단계입니다. 가중치 내부에 정규화를 구현하는 것도 유용할 수 있습니다. 결론적으로, 그라디언트는 닫힌 형태의 해를 가지지 않습니다. 대신, 다음 섹션에서 자세히 설명할 역전파 알고리즘(backpropagation algorithm)을 사용하여 구현을 수행합니다.

## 8장. 온라인 학습

### 8.1 소개

인터넷을 통한 학습, 일반적으로 온라인 학습이라고 불리는 주제는 다음 장에서 자세히 다룰 예정입니다. 과거에는 PAC(Probably Approximately Correct) 학습 패러다임을 잠재적인 교육 전략으로 살펴보았습니다. 이 모델에서, 학습자는 초기에 일련의 훈련 예제를 받고, 이를 바탕으로 모델을 학습한 후, 학습 프로세스가 완료되면 새로운 예제의 레이블을 예측합니다. 예를 들어, 파파야에 대한 학습 문제를 해결하기 위해서는 먼저 다수의 파파야를 수집하고 각각을 평가한 후, 이 정보를 바탕으로 신선한 파파야의 맛을 예측하는 규칙을 개발해야 합니다. 반면, 온라인 학습에서는 훈련과 예측 단계 사이에 명확한 구분이 없습니다. 대신, 파파야를 입수하는 즉시, 첫 번째 샘플처럼 분석하여 파파야의 맛이 좋을지를 판단합니다.

이후 파파야를 시식할 때 얻은 결과는, 이후의 파파야에 대한 예측을 개선하기 위해 훈련 데이터로 활용됩니다. 실제로, 온라인 학습은 연속된 여러 라운드로 구성되며, 각 라운드에서 학습자는 새로운 예제를 받고 이를 분석합니다. 예를 들어, 학습자가 파파야를 구매하고 그 특성을 설명한 후, "이 파파야가 맛있을까?"와 같은 레이블을 예측하도록 요청받습니다. 활동이 종료되면, 정확한 레이블이 제공되며(예: 파파야를 시식한 후 맛의 좋고 나쁨을 판단), 학습자는 이 새로운 정보를 활용하여 미래의 예측을 개선하는 과정을 거칩니다.

온라인 학습에 대한 우리의 연구는 PAC 학습 연구와 유사한 방식으로 진행됩니다. 우리는 이진 분류를 기반으로 한 여러 온라인 작업을 살펴볼 것이며, 모든 레이블이 특정 클래스에서 생성되었다고 가정하는 실현 가능한 시나리오와 그렇지 않은 경우를 구분하여 고려할 것입니다. "가중치-다수결(weighted majority)"이라는 중요한 접근 방식을 포함하여, 볼록 손실 함수를 가진 온라인 학습 문제와 퍼셉트론 기법을 사용한 온라인 학습 모델에서 볼록 손실 함수의 적용 방법을 탐구할 것입니다.

## 8.2 실현 가능한 경우의 온라인 분류

온라인 학습 방법은 여러 라운드에 걸쳐 진행되며, 각 라운드는 연속적으로 이어집니다. t번째 라운드 동안, 학습자에게는 인스턴스 xt가 제공되며, 이는 인스턴스 도메인 X에서 추출된 것입니다. 학습자는 이 인스턴스의 레이블을 예측해야 합니다. 이 라운드에서 학습자의 성능은 예측된 레이블 pt와 실제 레이블 yt("0" 또는 "1")이 공개되기 전에 얼마나 정확한지에 따라 평가됩니다. 학습자는 이전 라운드에서 얻은 지식을 바탕으로 미래 라운드에서의 예측 정확도를 향상시키려고 노력합니다. 만약 이전 사이클과 현재 사이클 간에 연결이 없다면, 학습 기회가 없다는 것은 명백합니다.

PAC 모델에서와 같이, 우리가 사용하는 온라인 학습 모델은 발생 순서의 기원에 대한 통계적 가정을 하지 않습니다. 이는 순서가 결정론적이거나 확률적이거나, 심지어 학습자의 활동에 적응적일 수 있음을 의미합니다. 적대적인 상황에서도, 온라인 학습 시스템이 임의의 잘못된 예측을 생성하도록 강제할 수 있습니다. 예를 들어, 경쟁자가 모든 라운드에서 동일한 인스턴스를 제공하고 학습자가 추측할 때마다 반대의 레이블을 사용할 수 있습니다. 이러한 시나리오를 의미 있게 제한하기 위해, 우리는 해결 가능한 상황, 즉 모든 레이블이 학습자가 이미 알고 있는 특정 클래스 H의 함수 h로부터 생성되었다고 가정하는 상황을 탐구합니다. 이는 이전에 논의한 PAC 학습 패러다임과 매우 유사한 접근 방식입니다.

만약 학습자가 주어진 일련의 제한 사항을 따른다면, 상대방이 함수 h와 인스턴스가 발생하는 순서를 예측할 수 있다는 가정 하에 최소한의 오류만을 발생시켜야 합니다. 온라인 학습 알고리즘 A가 일련의 인스턴스 모음에서 발생할 수 있는 최대 오류 수를 MA(H)로 표기하며, 여기서 H는 가능한 모든 레이블의 집합을 나타냅니다. 이는 온라인 학습 알고리즘이 생성할 수 있는 최대 오류 수를 나타내며, 이 사실은 매우 중요합니다. 상대방은 h뿐만 아니라 사건이 발생하는 순서까지 결정할 수 있습니다. 우리나 당신은 이에 대해 어떠한 통제력도 갖지 못합니다. "오류 제한"은 MA(H)에 설정된 제한을 의미하며, 이 섹션에서는 MA(H)를 최소화할 수 있는 다양한 알고리즘 구성 방법을 탐구할 것입니다.

권위 있는 관점에서, 만약 A가 온라인 학습에서 사용되는 알고리즘이고 H가 클래스 집합이라면, 다음과 같은 시리즈 s가 있다고 가정해 봅시다.

$(x_1, h(y_1)), \cdots, (x_T, h(y_T))$, 여기서 T는 어떤 정수이고 h는 H 내의 함수입니다. 그러면 MA(S)를 A가 시퀀스 S에서 만드는 오류의 수로 정의할 수 있습니다. 이어지는 내용에서 MA(H)를 위에서 언급한 형식의 모든 시퀀스에 대한 MA(S)의 상한으로 참조할 것입니다. $MA(H) \leq B$ 형태의 한계가 있을 때, 이를 오류 한계라고 합니다. 만약 다른 알고리즘이 존재하여 $MA(H) \leq B$를 만족한다면, 우리는 클래스 H가 온라인으로 학습될 수 있다고 주장할 수 있습니다. 우리의 목표는 온라인 모델을 통해 클래스 H를 학습할 수 있는지, 그리고 구체적으로 각 클래스에 대한 효율적인 학습 알고리즘을 식별하는 것입니다. 이 및 다음 섹션에서는 학습의 계산적 측면을 무시하

고 효율성을 보장할 수 있는 알고리즘에 제한을 두지 않을 것입니다.

## 8.3 온라인 학습 가능성

이제 보다 통합된 관점을 채택하고 온라인 학습 가능성을 구성하는 특성을 정의해 보겠습니다. 우리는 특히 다음 질문에 중점을 둡니다: 주어진 클래스 H에 대해 어떤 온라인 교육 접근 방식이 가장 효율적인가? 우리는 클래스 H의 차원을 특징짓는, 미래에 달성될 수 있는 최상의 잠재적 오류 한계를 제공합니다. 이 측정치는 Nick Littlestone에 의해 처음 제안되었으며, 그의 기여로 인해 이제 이를 Ldim(H)로 참조합니다. 온라인 학습 과정을 학생과 환경이 서로 경쟁하는 게임으로 이해할 때, Ldim이 무엇을 의미하는지 이해하기가 더 쉬워집니다. 이 게임의 t번째 라운드에서 환경은 인스턴스 xt를 선택하고, 학습자는 0에서 1 사이의 레이블을 추측한 후, 환경은 올바른 레이블 yt를 출력합니다. 환경이 학습자를 의도적으로 혼란시키려고 할 때, 출력은 yt=1이 아닌 pt여야 하며, 주요 문제는 모든 t∈[T]에 대해 yt=h(xt)를 어떻게 보장할 것인가입니다.

환경과의 상호작용을 이진 트리를 사용해 형식적으로 설명할 수 있으며, 이는 학습자가 가능한 한 최소한의 후회를 가지도록 하는 것을 목표로 재정의됩니다. 만약 우리가 최소 후회를 가진 알고리즘을 개발할 수 있다면, 이는 $Regret_A(H,T)$의 값이 라운드 수 T에 비례하여 선형 이하로 증가한다는 것을 의미합니다. 이는 학습 가능성에 대한 중요한 질문을 제기합니다. 실현 가능하다면, 이는 학습자와 H 내 최고의 함수 간의 실수 비율 차이가 시간이 지남에 따라 0에 접근한다는 것을 의미합니다. Cover가 제시한 불가능성 결과를 극복하기 위해서는 적대적 환경의 권한을 더 제한해야 합니다. 이를 위해 학습자에게 자신의 추측을 무작위로 선택할 수 있는 옵션을 제공합니다. 그러나 이 결과는 Cover가 발견한 불가능한 결과를 우회하지 않습니다, 왜냐하면 우리가 이 결론에 도달했을 때 학습자의 방법에 대한 어떠한 가정도 하지 않았기 때문입니다.

무작위화가 의미 있는 영향을 미치려면, 적대적 환경이 학습자가

t번째 라운드에서 수행한 무작위 동전 던지기의 결과를 모르고

yt에 대한 선택을 해야 합니다. 상대방은 학습자의 예측 방법과 이전 라운드의 무작위 동전 던지기 결과를 알고 있지만, t 번째 라운드에서 사용된 정확한 무작위 동전 던지기의 값을 알 수 없습니다. 이 작은 규칙 변경을 고려하여, 알고리즘에 의해 생성된 예상 오류 수를 분석할 것입니다. 이 예상치는 학습자 자신의 무작위화에 따라 정량화됩니다.

이 장에서는 온라인 교육의 여러 모델을 탐구하고, 그 작동 방식에 중점을 두었습니다. 우리가 도출한 PAC 학습 모델은 여러 면에서 온라인 모델과 유사하며, 이는 두 모델을 비교하는 이유입니다. 우리는 인터넷을 통한 학습이 Littlestone 차원이라고 불리는 조합 차원으로 정의될 수 있음을 보였습니다. 이를 입증하기 위해, 우리는 SOA 기술과 Weighted-Majority 알고리즘을 포함한 두 가지 접근 방식

을 소개했습니다. 또한, 온라인 볼록 최적화를 살펴보고, 손실 함수가 볼록하고 Lipschitz 조건을 만족할 때 온라인 경사 하강법이 성공적인 온라인 학습자가 될 수 있음을 보여주었습니다. 마지막으로, 우리는 온라인 경사 하강 알고리즘을 온라인 Perceptron 기법으로 확장했습니다, 이는 기존의 Perceptron 개념을 온라인 학습 환경에 적용한 것입니다.

## 8.4 클러스터링에 대한 집중 분석

연구자들은 탐색적 데이터 분석에서 다양한 접근 방식을 활용하며, 그 중 하나가 클러스터링입니다. 사회과학부터 생물학, 컴퓨터 과학에 이르기까지 다양한 분야에서 데이터 포인트 내에서 의미 있는 그룹을 찾아 정보를 더욱 효과적으로 이해하려는 노력이 이루어집니다. 예를 들어, 소매업자는 고객 프로필을 기반으로 클러스터링하여 대상 마케팅을 수행하고, 천문학자는 별들을 공간적 근접성에 따라 클러스터링하며, 계산 생물학자는 유전자의 표현 유사성을 기준으로 유전자를 클러스터링합니다.

클러스터링은 유사한 특성을 가진 객체들이 같은 그룹에, 서로 다른 특성을 가진 객체들이 다른 그룹에 배치되도록 하는 과정입니다. 이 과정은 유사한 객체들을 함께 그룹화하고, 대조적인 특성을 가진 객체들을 분리하여 그룹화합니다. 그러나 이 정의는 추상적이며, 구체적인 방향성을 제시하지 않습니다. 클러스터링의 목표는 명확하지만, 실제로 이를 어떻게 구현할지에 대한 방법은 다양합니다.

클러스터링의 주요 도전 과제 중 하나는 유사성 또는 근접성이 수학적으로 추이적이지 않다는 점입니다. 예를 들어, $x_1$부터 $x_m$까지의 일련의 객체가 있을 때, 각 $x_i$는 인접한 $x_i-1$및 $x_i+1$과 유사할 수 있지만, $x_1$과 $x_m$은 서로 상당히 다를 수 있습니다. 이는 클러스터링을 수행할 때 모든 부분을 동일한 클러스터에 포함시켜야 한다는 점을 시사합니다. 그러나 이러한 접근 방식은 서로 다른 특성을 가진 객체가 동일한 클러스터에 포함될 수 있다는 문제를 야기합니다.

클러스터링의 복잡성을 설명하기 위해, 상상해 보세요: 특정 그림에 나타난 점들을 두 개의 별도 그룹으로 나눕니다. 클러스터링은 지도 학습과 달리 레이블이 지정되지 않은 데이터를 사용하기 때문에, "올바른" 클러스터링이 무엇인지, 또는 어떻게 평가할지에 대한 명확한 기준이 없습니다. 이는 클러스터링이 비지도 학습의 일종이며, 데이터를 의미 있게 구조화하는 것이 주된 목표입니다.

동일한 데이터 세트에 대해 서로 다른 클러스터링 알고리즘을 적용할 때, 각 알고리즘이 생성할 수 있는 클러스터링 결과는 상당히 다를 수 있습니다. 이는 클러스터링이 주관적일 수 있으며, 다양한 관점에서 데이터를 해석할 수 있다는 것을 의미합니다. 예를 들어, 어떤 사람은 음성 녹음을 사투리에 따라 클러스터링할 수 있고, 다른 사람은 영화 리뷰를 주제 또는 감정에 따라 클러스터링할 수 있습니다. 이처럼 클러스터링은 데이터의 내재적 다양성을 반영하여 다양한 방식으로 수행될 수 있습니다.

## 8.5 링크 기반 클러스터링 알고리즘

링크 기반 클러스터링은 가장 직관적이고 간단한 클러스터링 방법 중 하나입니다. 이 방법은 각 데이터 포인트를 독립적인 단일 포인트 클러스터로 간주하여 시작하며, 이후 "가장 가까운" 그룹을 반복적으로 병합하는 과정을 통해 진행됩니다. 각 단계에서 전체 클러스터의 수가 감소하며, 이 과정을 계속하면 결국 모든 데이터 포인트가 하나의 큰 클러스터로 통합됩니다. 이 알고리즘을 정확히 정의하기 위해서는 클러스터 간 거리를 측정하는 방법과 클러스터 병합을 멈출 시점을 결정하는 두 가지 매개변수가 필요합니다.

클러스터링 기술의 입력은 점 간 거리 함수 d로, 클러스터 간 거리 측정을 위해 다양한 방식으로 확장될 수 있습니다. 이러한 확장 방식에는 여러 가지가 있으며, 각각은 고유한 거리 측정 결과를 제공합니다.

응집적 클러스터링 알고리즘: 이 알고리즘은 데이터를 완전히 분할된 상태에서 시작하여 점차적으로 더 큰 클러스터를 형성합니다. 결과적으로 클러스터링 덴드로그램이 생성되며, 이는 각 단일 세트가 잎으로, 전체 도메인이 트리의 뿌리로 기능하는 구조입니다.

싱글 링크 알고리즘: 이 방법은 클러스터 간의 두 점 사이의 최소 거리를 기준으로 클러스터를 병합합니다. 이 알고리즘은 크루스칼의 최소 신장 트리 알고리즘과 유사하며, 실행 과정에서 최소 신장 트리를 생성합니다.

클러스터링은 또한 비용 함수를 생성하고, 가능한 클러스터링의 매개변수화된 집합을 분석한 후, 최소 총 비용을 초래하는 솔루션을 결정하는 최적화 문제로 접근됩니다. 목표는 가능한 한 적은 총 비용을 초래하는 클러스터링을 식별하는 것입니다. 이 과정에서 클러스터링 문제는 최적화 문제로 재구성되며, 목적 함수는 입력과 클러스터링을 실수 값으로 변환합니다. 이 목적 함수를 최소화하는 클러스터링을 찾는 것이 알고리즘의 목표입니다.

## 8.6 정보 병목 방법

정보 병목 방법은 정보 이론에서 유래된 클러스터링 접근 방식으로, 텍스트 문서를 단어 발생 기반으로 그룹화하는 문제에 적용됩니다. 각 문서는 사전의 단어 수에 해당하는 벡터로 표현되며, 벡터의 각 요소는 특정 단어의 존재 여부를 나타냅니다. 이 방법은 무작위 변수 C를 사용하여 클러스터링을 식별하며, C는 [k] 범위의 값을 가질 수 있습니다. 여기서 k는 접근 방식에 따라 결정됩니다.

정보 병목의 목표는 문서의 신원과 클러스터의 신원 간에 공유되는 상호 정보의 양을 최소화하면서도, 클러스터링에 사용되는 변수와 문서에 존재하는 단어 간에 상호 정보의 양을 최대화하는 것입니다. 이는 원본 데이터를 가능한 한 압축하면서도 문서에 대한 관련 정보를 보존하고자 하는 의도를 반영합니다.

정보 병목 개념과 관련된 최적화 문제를 해결하는 것은 복잡할 수 있으며, 제안된 전략 중 일부는 EM 알고리즘과 유사합니다. 클러스터링 도구의 다양성에도 불구하고, 클러스터링이 실제로 무엇을 의미하는지, 클러스터링 기법이 입력 공간을 분할하는 다른 함수와 어떻게 다른지, 그리고 클러스터링 개념에 기본적인 특성이 있는지 여부는 여전히 중요한 질문입니다. 이러한 질문에 대한 답을 제공하는 한 가지 방법은 공리적 접근을 사용하는 것입니다. 클러스터링의 공리적 정의를 제공하기 위해 사용된 다양한 방법 중 하나는 Kleinberg의 작업으로, Scale Invariance, Richness, 및 Consistency와 같은 기준을 통해 클러스터링 함수의 특성을 정의합니다.

Kleinberg의 불가능성 결과에 대한 다양한 접근 방식을 통해 극복할 수 있음을 알 수 있습니다. 예를 들어, 특정 클러스터 수를 가진 클러스터링 함수를 분석할 때는, Richness 조건을 k-Richness로 변경하는 것이 합리적입니다. 이는 도메인을 k 개의 부분집합으로 나누는 모든 분할이 클러스터링 함수에 의해 달성 가능하다는 것을 의미합니다. k-Richness는 특정 클러스터 수에 초점을 맞추기 때문에, k-평균 클러스터링과 같은 방법은 k-Richness, Scale Invariance, 그리고

Consistency 조건을 모두 만족시키므로 일관된 클러스터링 방법으로 간주됩니다.

이러한 결과는 클러스터링 함수가 "이상적"이라고 할 수 없음을 시사합니다. 모든 클러스터링 함수는 특정한 "원치 않는" 특성을 가지고 있기 때문에, 특정 작업에 적합한 클러스터링 함수를 선택할 때는 그 작업의 독특한 요구사항을 고려해야 합니다. No-Free-Lunch 정리는 클러스터링 문제에 대한 일반적인 해결책이 없음을 나타내며, 이는 분류 예측과 같은 다른 유형의 학습 문제에도 적용됩니다. 성공적인 분류 예측을 위해서는 특정 작업에 대한 사전 지식이 필요합니다.

## 8.7 차원 축소

차원 축소는 고차원 데이터를 더 낮은 차원의 공간으로 매핑하여 (손실이 있는) 압축을 수행하는 과정입니다. 이 과정은 정보 이론과 밀접하게 연관되어 있으며, 고차원 데이터를 처리할 때 발생할 수 있는 여러 문제를 해결하는 데 도움이 됩니다. 예를 들어, 고차원 데이터는 학습 알고리즘이 적절하게 일반화하지 못하게 만들 수 있으며, 차원의 저주로 인해 학습 과정이 비효율적이 될 수 있습니다.

차원 축소는 데이터 해석, 의미 있는 구조 발견, 그리고 데이터 기반 시각화를 용이하게 합니다. 이 과정에서는 초기 데이터에 선형 변환을 적용하여 차원을 줄이는 방법이 일반적입니다. 예를 들어, 원래 데이터가 $R^d$에 있고 이를 $R^n \leq d)$으로 매핑하려면, $W \in R$

$^{n \times d}$ 매트릭스를 찾아 $x \mapsto Wx$로 매핑합니다. 이 과정에서 중요한 것은 $Wx$에서 $x$를 가능한 한 잘 복구할 수 있도록 하는 것입니다.

주성분 분석(PCA)은 차원 축소를 위한 첫 번째 방법으로, 압축 및 복구가 모두 선형 변환을 통해 이루어집니다. 이 방법은 복구된 벡터와 원래 벡터 간의 차이를 최소화하는 선형 변환을 찾습니다. 또한, "Johnson-Lindenstrauss 보조 정리"를 통해 무작위 행렬을 사용하여 차원을 축소하는 방법에 대해서도 논의합니다. 이러한 접근 방식은 "압축 센싱"이라는 개념과 관련이 있으며, 이는 데이터를 수집하고 동시에 압축하는 프로세스를 의미합니다. 가장 중요한 발견은 데이터가 손실 없이 무작위 선형 변환을 통해 압축될 수 있다는 것입니다. 필요한 측정값의 수는 일반적으로 slog(d)의 순서로 충분합니다.

다음 섹션에서는 데이터 복구 시간과 관련된 비용을 살펴보겠습니다. 특정 상황에서는 복구 과정이 느려질 수 있지만, 필요한 단계를 압축함으로써 시간을 절약할 수 있습니다. 예를 들어, 보안 카메라는 많은 이미지를 인식하고 압축할 수 있어야 하며, 대부분의 경우 압축된 데이터를 디코딩할 필요가 없습니다. 이는 하드웨어에서 선형 변환을 효율적으로 수행할 수 있다는 점에서, 이 기술을 다양한 실용적인 응용 프로그램에 사용할 가치가 있음을 의미합니다.

Baraniuk과 Kelly가 이끄는 연구팀은 디지털 마이크로미러 어레이를 사용하여 이미지의 선형 변환을 광학적으로 수행하는 혁신적인 카메라 디자인을 개발했습니다. 이러한 접근 방식은 의료 이미징 분야에서 특히 유익하며, 환자에게 더 적은 양의 방사선을 노출시키는 데 도움이 됩니다.

## 8.8 PCA와 압축 센싱

차원 축소 전략을 적용하려는 데이터 집합이 있다고 가정해 봅시다. PCA와 압축 센싱 중 어떤 방법을 사용할지 결정하는 것은, 각 방법의 기본 가정에 중점을 두어야 합니다. PCA는 데이터 집합이 R^d의 n차원 부분 공간에 포함될 때 완벽한 데이터 복구를 보장합니다. 반면, 압축 센싱은 샘플의 폭이 상대적으로 제한된 경우에도 모든 상황에서 오류 없는 복구를 안정적으로 보장할 수 있습니다.

R^d의 표준 기저를 이루는 벡터들로 구성된 데이터 집합을 예로 들어, n이 log(d)보다 작거나 같은 경우 압축 센싱은 항상 완전한 복구를 결과로 낼 것입니다. 반면, PCA는 n이 d보다 작을 때 n차원 부분 공간에 데이터가 포함되지 않기 때문에 만족스럽지 못한 결과를 낼 것입니다.

따라서, 데이터 집합이 특정 조건을 만족하는 경우 PCA가 압축 센싱보다 우수할 수 있으며, 그 반대의 경우도 마찬가지입니다. 예를 들어, n차원 부분 공간과 정확히 일치하는 데이터 집합의 경우 PCA는 완벽한 복구를 보장합니다. 반면, 압축 센싱은 차원이 n log(d)로 줄어들면 성공적일 수 있지만, 정확히 n차원인 경우에는 적용되지 않을 수 있습니다. 또한, PCA는 다양한 유형의 노이즈에 대해 강한 내성을 가지고 있습니다.

## 8.9 생성 모델

본 교재는 데이터의 기본 분포에 대한 가정 없이 분포 무관 학습 프레임워크에서 출발합니다. 이 접근법은 독자가 내용을 최대한 이해할 수 있도록 도입되었습니다. 즉, 과거 정보에 대한 가정 없이, 우리는 정확한 예측 모델을 구축하는 데 초점을 맞춘 판별적 전략을 사용했습니다.

이 장에서는 데이터의 기본 분포가 특정 매개변수 형태를 따른다고 가정하는 생성적 방법에 주목합니다. 이러한 방법은 새로운 모델을 생성할 수 있는 능력 때문에 선호됩니다. 주요 도전 과제는 모집단의 매개변수 밀도를 추정하는 것입니다.

반면, 판별적 기법은 예측 정확도를 최적화하는 데 중점을 두며, 기본 분포 학습 대신에 사용됩니다. Vladimir Vapnik은 기본 분포를 정확히 학습할 경우 베이즈 최적 분류기를 사용하여 예측할 수 있다고 강조했습니다. 그러나, 때로는 효과적인 예측자를 학습하는 것이 더 어려울 수 있습니다.

생성적 학습 방법은 특정 상황에서 유용할 수 있습니다, 예를 들어, 모델 매개변수 추정이 계산적으로 더 효율적일 때나, 데이터 모델링이 필요한 경우 등입니다.

이 장은 최대우도 원리를 소개하며, 이는 통계적으로 가장 가능성 있는 원리입니다. 또한, 생성적 가정과 잠재 변수를 포함하는 상황에서 최대 가능성을 계산하는 기대치-최대화(EM) 방법을 다룹니다. 마지막으로, 베이지안 추론에 대한 간략한 개요로 마무리됩니다.

상대 엔트로피(DRE)와 엔트로피 함수(H)는 두 확률 분포 간의 차이를 측정하는 데 사용됩니다. 생성적 가정이 밀도 추정에 미치는 영향을 강조하며, 위험이 분포의 엔트로피에 비례한다는 점을 강조합니다. 분포가 예상된 형태와 다를 경우, 최적의 매개변수 선택도 부적절한 모델을 초래할 수 있으며, 이는 상대 엔트로피 발산으로 측정됩니다.

생성적 학습에서 추정 솔루션의 품질을 평가하는 다양한 방법에 대해 논의합니다. 판별적 학습과는 달리, 생성적 학습에서는 손실 개념을 다양하게 정의할 수 있습니다. 최대 우도 추정기는 매개변수를 고정된 값으로 취급하는 빈도주의적 접근법을 사용합니다.

매개변수 추정에 베이지안 추론을 사용할 수도 있으며, 이는 매개변수 값에 대한 불확실성을 고려합니다. 즉, 매개변수를 확률 변수로 간주하며, 사전 분포를 통해 데이터 관찰 전의 불확실성을 설명합니다. 이 접근법은 데이터의 분포를 예측할 때 기존의 선입견을 모방하는 데 사용됩니다.

마지막으로, 모수적 밀도 추정을 수행할 때, 우리는 기본 데이터 분포가 특정 모수 형태를 가진다는 추가 가정을 합니다. 이는 데이터와 모델 간의 관계를 더 깊게 이해하기 위한 것입니다. 다양한 매개변수 추정 방법, 예를 들어 최대 우도, 베이지안 추정, 최대 사후 확률 등을 살펴보았습니다.

### 8.10 특성 선택과 생성

본 장의 초점은 학습자가 사용하는 사전 지식이 장르 분류에 완전히 부호화되어 있는 경우, 즉 X 인스턴스 공간을 어떻게 정확하게 설명할 것인가에 대한 논의에서 시작됩니다. 예를 들어, 파파야 학습 문제에서 우리는 부드러운 색상을 가진 2차원 평면 상의 직사각형 영역을 사용할 것을 제안했습니다. 이는 파파야에 대한 이해를 바탕으로 한 초기 모델링 결정의 일부였습니다. 즉, 파파야를 색상과 질감에 따라 분류하여 2차원 공간에 나타내는 것이었습니다.

이후 우리는 이 2차원 평면을 레이블이 지정된 집합으로 매핑하는 직사각형 영역을 사용하기로 결정했습니다. 특성 함수는 실제 세계의 객체인 "파파야"를 과일의 단단함이나 색상과 같은 스칼라 값으로 변환합니다. 즉, 실제로 측정할 수 있는 모든 값은 해당 항목의 특성으로 간주될 수 있습니다. X가 벡터 공간의 부분 집합인 경우, X 내의 각 x를 특정 상황에서 특성 벡터로 간주할 수 있습니다. 인스턴스 공간 X를 벡터 공간의 부분 집합으로 나타내더라도, 우리는 미래에 다른 표현으로 변환하고 그 위에 장르 분류를 적용할 수 있습니다.

즉, 우리는 특성 함수를 통해 클래스 H를 X에서 다른 벡터 공간 X0로 매핑하고, X에 클래스를 구축할 수 있습니다. 커널 기반 SVM은 각 원본 인스턴스를 힐버트 공간으로 이동시키는 특성 매핑을 통해 하프 스페이스 클래스의 조합을 학습합니다. 이는 본 장에서 얻은 주요 통찰 중 하나입니다. 이는 우리가 다루는 문제에 대한 우리의 사전 지식을 얻는 방법의 또 다른 예입니다. 본 장에서는 강력한 특성 집합을 구축하기 위해 사용할 수 있는 다양한 전략을 살펴봅니다.

우리는 이 챕터에서 특성 선택의 문제를 다루며, 다양한 특성 중에서 예측기가 효과적으로 사용할 수 있는 관리 가능한 수의 특성을 선택하려고 합니다. 이는 많은 특성 중에서 최소한의 특성을 선택하는 것을 목표로 합니다. 이어서 특성 조작과 정규화에 대해 논의하며, 이는 모델의 기본 속성을 간단히 수정하는 것을 포함합니다. 이러한 조정은 학습 알고리즘의 샘플 복잡성, 편향, 또는 처리 비용을 감소시킬 수 있습니다.

마지막으로, 특성 학습의 다양한 접근 방법을 탐색하여 특성 생성 프로세스를 자동화하려고 합니다. No-Free-Lunch 정리에 따라 궁극적인 특성 학습자는 존재하지 않습니다. 그러나 탐색할 가치가 있는 여러 특성 학습 방법이 있습니다. 각 특성 학습자의 효과는 데이터 분포에 대한 어떤 형태의 사전 가정에 의존하며, 이는 특성 전체의 전반적인 품질에 큰 영향을 미칩니다.

만약 우리가 단 하나의 결정적인 특성만 선택할 수 있다면, 첫 번째 특성이 두 번째 특성보다 우선시되어야 합니다. 이는 첫 번째 특성만으로 대상을 정확하게 예측할 수 있기 때문입니다. 그러나 이는 첫 번째 특성이 반드시 더 중요하다는 것을 의미하지는 않습니다; 이는 미래의 사용 사례에 따라 달라집니다. 예를 들어, 2차 다항 회귀를 구현할 계획이라면 첫 번째 특성을 선택하는 것이 좋습니다. 반면, 선형 회귀 모델을 사용한다면 두 번째 특성에 더 많은 가중치를 두어야 합니다. 이는 첫 번째 특성을 기반으로 한 최적의 선형 예측기가 두 번째 특성을 기반으로 한 이상적인 선형 예측기보다 더 높은 위험을 가질 것이기 때문입니다.

## 8.11 특성 선택

이 섹션에서는 모든 개별 인스턴스가 d 개의 독립적인 속성을 가진 벡터로 표현되는 $X=R^d$ 공간을 가정하에 진행합니다. 목표는 예측기가 오직 k개의 특성만을 활용하여 추가 정보 없이 예측을 수행하게 하는 것입니다. 제한된 정보만을 사용하는 예측기는 메모리 사용량이 적고, 실행 속도가 빠를 수 있습니다. 특히, 특정 상황에서(예: 의료 진단) 특성을 획득하는 비용이 높을 수 있으므로, 제한된 수의 특성을 사용하는 예측기가 선호될 수 있습니다.

데이터에 과적합되지 않도록 사용 가능한 속성의 수를 줄이는 것은 추정 오류를 감소시키는 한 방법입니다. 이상적으로는 d 개의 속성 중 k개를 선택하여 가장 정확한 예측기를 생성하는 것이 목표입니다. 그러나 실제로 이러한 철저한 탐색은 계산적으로 어려울 수 있습니다. 다음으로, 계산적으로 접근 가능한 특성 선택 방법 세 가지를 소개합니다. 이 방법들은 최적의 부분 집합을 항상 찾아내는 것을 보장하지는 않지만, 실제로 종종 좋은 성과를 보입니다.

일부 방법은 선택된 부분 집합의 품질에 대한 명시적인 보장을 제공합니다. 이는 특정 조건이 충족될 때만 적용됩니다. Greedy Selection은 데이터 수집과 기본 학습 알고리즘을 연결하여 정확도를 향상시키는 인기 있는 방법 중 하나입니다. 가장 이해하기 쉬운 Greedy Selection 유형은 전방 Greedy Selection으로, 특성 컬렉션에서 하나씩 특성을 추가하면서 최적의 조합을 찾아갑니다.

## 8.12 특성 조작 및 정규화

특성을 조작하거나 정규화할 때, 각 특성에 대해 다양한 간단한 변환을 적용할 수 있습니다. 이러한 변환은 알고리즘의 오류를 줄이거나 실행 속도를 향상시킬 수 있습니다. 특성 선택과 마찬가지로, "좋은" 또는 "나쁜" 변환은 없으며, 각 변환은 적용될 학습 알고리즘과 문제에 대한 사전 가정에 따라 달라집니다.

선형 회귀와 제곱 손실을 포함한 문제를 예로 들면,
$X=R^{m,d}$와 $y=R^{m}$인 경우, 릿지 회귀 접근 방법을 고려할 수 있습니다. 특성이 다른 척도로 평가되는 경우, 특성 정규화가 필요할 수 있습니다. 가장 간단한 정규화 방법 중 하나는 각 특성 값을 해당 특성이 가질 수 있는 최대 값으로 나누는 것입니다. 이를 통해 모든 특성 값이 -1에서 1 사이의 범위에 있도록 할 수 있습니다.

정규화는 학습 알고리즘의 실행 시간을 줄이는 데에도 도움이 될 수 있습니다. 예를 들어, SGD(Stochastic Gradient Descent)를 사용한 최적화에서, 정규화는 SGD가 수렴하는 데 필요한 반복 횟수를 줄일 수 있습니다. 이는 SGD의 수렴 속도가 w의 정규화와 x의 최대 정규화에 의존하기 때문입니다. 따라서, 정규화를 통해 SGD의 실행 시간을 상당히 단축시킬 수 있습니다.

## 8.13 특성 학습

지금까지 우리는 특성을 수정하고 선택하는 다양한 방법에 대해 논의해왔습니다. 이 과정에서 우리는 벡터 공간 $R^d$를 기반으로 하는 특성의 질을 반영하는 방식으로 시작했습니다. 이후에는 개별 특성을 변환하거나 선택할 특성의 부분 집합을 결정했습니다(이를 각각 특성 선택 및 특성 변환으로 명명). 이 섹션에서는 인스턴스 공간 X로 시작하여 X에서 발생하는 사례를 d차원 특성 벡터로 변환하는 함수 $X \rightarrow R^d$를 학습하는 특성 학습에 초점을 맞춥니다.

특성 학습의 목표는 입력 공간의 표현을 자동으로 찾는 것입니다. 이를 달성하기 위해서는 데이터 분포에 대한 일부 사전 정보를 통합해야 한다는 것을 No-Free-Lunch 이론이 상기시켜 줍니다. 이 섹션에서는 특성 학습의 다양한 접근 방식을 탐색하고, 이러한 방법이 데이터 분포에 따라 언제 유리한지 시나리오를 설명할 것입니다.

특성 학습은 데이터의 패턴을 식별하여 데이터를 더 잘 이해하는 과정입니다. 이 책을 통해 다양한 유용한 특성 구성을 다루었습니다. 예를 들어, 다항 회귀에서는 원래 사례를 모노미얼의 벡터 공간으로 매핑했습니다(9장 9.2.2절 참조). 이 매핑이 완료되면, 새로 생성된 특성 위에 선형 예측기를 훈련시키는 다음 단계로 넘어갔습니다. 이 과정을 자동화하기 위해서는 주어진 변환을 학습하는 것이 필요합니다. 우리는 X →$R^d$ 의 변환을 통해 새로운 클래스를 자동으로 생성할 수 있습니다.

사전 학습은 이미 존재하는 사전을 기반으로 하는 특성 생성 방법에 대해 논의할 것입니다. 텍스트 처리에서는 사전의 단어와 항목의 의미가 자연스럽게 드러납니다. 그러나 다른 응용 프로그램에서는 이러한 직관적인 인스턴스 표현이 없을 수 있습니다. 예를 들어, 컴퓨터 비전에서는 이미지가 인스턴스이며, 목표는 이미지에 나타난 특정 항목을 인식하는 것입니다. 픽셀 기반 이미지 표현을 사용할 때 선형 예측기만으로는 신뢰할 수 있는 분류기를 생성하기 어렵습니다. 우리가 필요로 하는 것은 이미지의 픽셀 기반 표현을 제공하면, 이미지의 내용을 정확하게 설명하는 "시각적 단어"의 집합을 생성할 수 있는 매핑입니다.

"시각적 단어"의 예로는 "이미지에 눈이 있다"와 같은 표현이 있습니다. 이러한 표현을 활용할 수 있다면, 선형 예측기를 이러한 표현 위에 적용하여 분류기를 훈련시키고 예측에 사용할 수 있었을 것입니다. 따라서 중요한 질문은 "시각적 단어"의 사전을 어떻게 개발할 수 있는가입니다. 이는 이미지에서 나타나는 항목을 식별하는 데 유용할 것입니다.

특성 학습은 데이터의 구조를 이해하고, 이를 바탕으로 유용한 특성을 자동으로 생성하는 과정입니다. 이 과정은 데이터 분석과 모델링을 향상시키는 데 중요한 역할을 합니다.

## 8.14 예비 과정

학습은 지식, 이해, 또는 기술을 연구, 교육, 경험을 통해 얻는 과정으로 정의될 수 있으며, 이는 행동 경향을 경험을 통해 수정하는 것을 포함합니다. 학습은 동물학과 심리학을 포함한 다양한 학문 분야에서 연구되며, 본서는 주로 기계학습에 중점을 둡니다. 동물과 컴퓨터의 학습 프로세스 사이에는 유사점이 있으며, 기계학습 분야의 일부 전략은 동물 및 인간 학습에 대한 이론 개발을 위한 심리학자들의 노력과 연결될 수 있습니다.

기계학습 분야의 연구자들은 생물학적 학습의 특정 측면을 명확히 할 수 있는 개념 및 전략을 조사하고 있습니다. 기계가 예측된 미래 성능이 개선된다면, 해당 기계는 학습했다고 할 수 있습니다. 이 개념은 다양한 응용 프로그램에 적용될 수 있으며, 학습의 정의는 데이터베이스에 레코드를 추가하는 것과 같은 다른 연구 분야의 범위에 속하는 변경을 포함할 수 있습니다.

음성 인식 시스템의 성능이 예제를 듣고 나아진다면, 기계가 학습했다고 주장할 수 있습니다. 컴퓨터 프로그램을 변경하여 인공 지능(AI) 관련 작업을 수행하도록 하는 것은 "기계학습"으로 일반적으로 언급되며, 이는 문제 감지 및 진단, 로봇의 계획 및 제어 등을 포함할 수 있습니다.

"변경"은 기존 시스템에 새로운 구성 요소를 추가하거나 새로운 시스템을 개발하는 것을 의미할 수 있습니다. "인공 지능 에이전트"는 주변 환경을 수용하고 모델링한 후 적절한 조치를 계산하고, 종종 해당 조치의 결과에 대한 예측을 수행함으로써 작동합니다. 학습은 이러한 구성 요소 중 하나를 수정함으로써 이루어질 수 있습니다.

기계학습 분야는 다양한 관점에서 나온 작업이 수렴하고 있으며, 각각의 독특한 전술과 어휘를 기여하는 이러한 다양한 전통은 현재 더 통합된 분야로 통합되고 있습니다. 이 책에서는 통계, 뇌 모델, 제어 이론 등 기계학습에 기여한 다양한 주제를 간략히 살펴보고, 해당 분야와 관련된 더 많은 자료를 제공할 것입니다.

통계는 알려지지 않은 확률 분포에서 생성된 샘플을 사용하여 새로운 샘플이 어느 분포에서 추출되었는지 선택하는 문제를 오랜 시간 동안 연구해왔으며, 이는 기계학습의 예로 볼 수 있습니다.

뇌 모델 연구는 생물학적 뉴런의 단순화된 모델링을 통해 네트워크의 학습 프로세스를 얼마나 정확히 복제할 수 있는지에 관심을 가지고 있으며, 제어 이론자들은 알려지지 않은 매개변수를 추정하는 동안 움직이는 프로세스를 제어해야 하는 문제에 직면합니다.

이 책은 기계학습의 다양한 측면과 관련된 교육 실천법을 다루며, 통계 분석, 뇌 모델링, 제어 이론 등 다양한 기법을 통해 기계학습 분야의 발전에 기여한 방법들을 탐구할 것입니다.

지난 반 세기 동안 심리학자들은 다양한 학습 활동에서 사람들의 성과를 조사하고 이러한 연구 결과를 사용하여 심리학적 모델을 구축했습니다. EPAM 네트워크는 그 중 하나로 1961년에 Feigenbaum에 의해 설계되었으며 한 쌍의 단어 중 하나를 제공하면 나머지 구성 요소를 저장하고 검색하는 목적으로 만들어졌습니다. 이 분야에서의 연구는 의사 결정 트리 및 의미 네트워크를 포함한 초기 방법론의 생성을 위한 기초를 마련하는 데 도움이 되었습니다. 이러한 종류의 최근 연구들은 후에 소개될 인공 지능에 대한 논의에 영향을 받았습니다.

강화 학습 분야의 일부 연구는 동물의 목표 지향적 행동 학습에 도움이 되는 인센티브 신호의 작용 방식을 설명하려는 시도에서 비롯되었습니다. 이 분야는 Sutton & Barto, (1987)에 의해 연구되었으며, 기계학습에 대한 이 책에서도 중요한 주제로 다루어집니다. 초기의 프로그래밍 작업 중 하나로, 이미 오래전에 Samuel(1959)은 체커 게임의 보드 위치를 평가하는 함수의 매개변수를 학습하는 프로그램을 개발한 바가 있습니다.

몇몇 AI 연구자들은 학습 과정에서 아날로지의 역할과 이전 경험을 바탕으로 미래의 행동 및 결정을 어떻게 내릴 수 있는지에 대해 탐구했습니다. 이러한 연구는 아날로지가 학습자가 보지 못한 개념 간의 연결을 만드는 데 어떻게 도움이 되는지를 살펴보았는데, Carbonell(1983)과 Kolodner(1993)은 이 분야의 가장 중요한 공헌을 했습니다. 또한, Quinlan, (1990)은 전문가 시스템을 위한 규칙 구성에 중점을 둔 최근 연구의 선구자입니다.

진화 기반 모델은 개별 생물체가 환경에 더 적합하게 발전할 수 있도록 하는 생물학적 진화의 특정 측면을 모방하는 학습 접근법으로, 컴퓨터 프로그램의 전반적인 성능을 향상시키는 수단으로 제안되었습니다. 유전 알고리즘과 유전 프로그래밍은 이 분야에서 가장 자주 사용되는 두 가지 컴퓨팅 방법입니다.

이 섹션은 또한 기존 구조물을 조정하거나 새로운 구조물을 구성하는 방법에 대해서도 논의합니다. 이는 다양한 시나리오를 처리할 수 있는 능력을 넘어서 계산 효율성을 향상시키는 것을 목표로 합니다. 함수 학습의 문제를 먼저 조사함으로써 이러한 용어를 도입하는 것이 효과적입니다.

## 8.15 입력-출력 학습 함수의 원리

"곡선 피팅"은 지도 학습에서 함수를 적용하는 기본적인 예로, 두 차원 함수 f의 값이 실선 원으로 표시된 네 개의 샘플 위치가 주어지고, 이 위치들을 두 번째 차수 함수 집합 H에서 가져온 함수로 맞추려는 상황을 가정해 봅시다. 이 경우, f의 값은 실선 원으로 나타나며, 우리는

$x_1, x_2$ 평면 위에 위치한 이차원 포물선을 제시합니다. 이 포

물선은 주어진 점들을 나타냅니다. 이 부분은 함수 f를 논의하는 데 전념되며, 이 함수는 생성된 네 개의 그림의 원동력입니다.

이 상황에서 모든 네 샘플에서 h=f이지만, 정확한 일치는 필수적이지 않습니다. 비지도 학습의 경우, 우리가 가진 것은 벡터의 교육 세트이며, 이 벡터들 중 어느 것도 연관된 함수값이 없습니다. 여기서의 도전 과제는 훈련 세트를 1부터 R까지 적절하게 분할하는 것입니다. 비지도 학습 접근 방식은 데이터를 의미 있는 범주로 분류하는 방법을 찾는 데 사용됩니다.

지도 및 비지도 학습 사이의 중간에 위치한 학습 전략도 논의됩니다. 때로는 기존 함수를 계산상 효율적인 동등한 함수로 변환하는 프로세스가 "속도 향상 학습"으로 언급됩니다. 이는 변수 A의 값을 알고 있을 때, 방정식 A→B 및 B→C를 사용하여 변수 C의 값을 결정할 수 있음을 의미합니다. 이 추론적 사고 방식을 통해 A→C의 공식을 유도할 수 있으며,

이는 이전보다 더 간단하고 시간 효율적인 방법으로 C를 A에서 유도할 수 있음을 의미합니다.

기계학습 기술은 다양한 전통에서 유래되었으며, 이로 인해 관련 어휘는 유의미한 동의어로 가득 차 있습니다. 예를 들어, 입력 벡터는 "입력 벡터," "패턴 벡터," "특징 벡터," "샘플," "예제," "인스턴스" 등 여러 가지 이름으로 불릴 수 있습니다. 입력 벡터의 특성, 속성, 입력 변수는 이산 값, 실수 값, 또는 범주 값일 수 있으며, 이 세 가지 가능성을 모두 고려합니다.

범주 값의 예로, 특정 학생은 (졸업생, 남성, 역사 전공, 히긴스)와 같이 벡터로 표현될 수 있습니다. 범주 변수의 값은 "소형, 중형, 대형"과 같이 정렬될 수도 있고, 정렬되지 않을 수도 있습니다. 입력을 이름 및 해당 값으로 제공하는 것은 항상 가능하며, 벡터 형식은 특성이 이미 정해진 순서를 가지고 있음을 전제로 합니다.

출력이 수치 값인 경우, 구현 프로세스는 예측기 또는 회귀기로 알려져 있으며, 출력 자체는 예측 값 또는 추정치로 알려져 있습니다. 출력이 범주 값인 경우, 구현 프로세스는 분류기, 인식기, 또는 범주화기로 여러 가지로 알려져 있으며, 출력 자체는 레이블, 클래스, 범주 또는 판단으로 알려져 있습니다. 분류기는 손글씨 문자 식별과 같은 다양한 인식 문제에서 유용할 수 있습니다.

이러한 예에서 분류기는 입력을 받아 약 64개 범주 중 하나로 매핑하는 출력 값을 생성합니다. 출력이 벡터 값을 포함하는 경우, 벡터의 각 구성 요소는 실수 또는 범주 값일 수 있습니다. 부울리(Boolean) 출력 값을 사용하는 경우는 기본적이며 중요한 예로, 음성 인스턴스는 0 값을 가진 훈련 패턴으로, 양성 인스턴스는 1 값을 가진 훈련 샘플로 해석됩니다. 입력이 부울리 유형일 경우, 분류기는 부울리 함수를 구현하게 됩니다. 우리는 부울리 예제를 자세히 살펴보고, 이를 통해 단순화된 환경에서 중요한 일반적인 주장을 할 수 있게 됩니다. 부울리 함수 학습은 개념 학습(concept learning)이라고도 하며, 학습되는 함수 자체를 개념이라고 부릅니다. "개념 학습"은 이러한 개념을 습득하는 과정을 의미합니다.

가설 함수를 개발할 때, 훈련 세트를 활용하는 방법은 다양합니다. 배치 접근 방식을 사용할 때는 전체 훈련 세트가 한 번에 적용되며, 이 방식의 한 변형은 전체 훈련 세트를 반복적으로 사용하여 적절한 결과를 얻을 때까지 수정을 계속하는 것입니다. 반면, 증분 방식을 사용할 때는 훈련 세트의 한 구성원만 선택하여 해당 인스턴스로부터 얻은 지식을 적용해 모델을 업데이트합니다. 이후 다른 구성원을 선택하여 과정을 계속합니다.

선택 전략은 무작위 선택과 교체 또는 훈련 세트를 순환하는 반복 절차일 수 있습니다. 훈련 세트의 개별 구성원이 시간에 따라 한 번씩 사용 가능한 경우, 증분 방식이 적용될 수 있으며, 이는 온라인 기법의 한 예입니다. 예를 들어, 로봇의 현재 감각 입력에 기반하여 로봇의 다음 동작을 결정할 때 온라인 접근 방식이 사용될 수 있습니다. 온라인 기법은 다음 훈련 사례가 현재 고려 중인 모델과 그 이전 사례에 의존하는 경우에도 적용될 수 있으며, 선택된 작업은 추가적인 감각 입력 수집에 결정적인 역할을 합니다.

## 8.16 학습과 편향

"왜 함수를 학습할 수 있는가?"라는 질문은 독자가 이 책의 이 부분에 도달하기 전에 이미 고민했을 것입니다. 예를 들어, 이 책에서 제시된 네 가지 인스턴스에 해당하는 다양한 다른 함수가 존재할 수 있음은 분명합니다. 왜 학습 접근 방식이 그림에 나타난 이차 함수를 선택했을까요? 만약 이것이 무작위 결정이었다면, 왜 우리는 사전에 이차 함수의 가능성을 제한하고 선택된 가설이 모든 네 샘플 위치를 통과하는 유일한 것임을 명시해야 했을까요?

편향 없이는 의미 있는 학습이 불가능합니다. 이것이 "편향"이라는 용어가 사전에 알려진 정보를 가리키는 이유입니다. n차원 부울 함수를 학습하는 특별한 경우를 살펴보면, 이 과정에서 편향이 어떤 역할을 하는지 더 잘 이해할 수 있습니다. 사용 가능한 $2^n$가지 다른 부울 입력의 모든 조합을 고려할 수 있습니다. 만약 우리가 어떤 편향도 가지고 있지 않다면, 즉 H가 모든$2^{2n}$ 부울 함수의 집합이고 교육 세트에 포함된 샘플과 일치하는 특정 함수를 선호하지 않는다면, 이것은 사실상 불가능한 일입니다. 이 구체적인 상황에서, 훈련 세트의 한 멤버와 그에 해당하는 값이 주어진 후에 우리는 H의 절반인 부울 함수를 정확히 분류하지 못하는 함수를 제거할 수 있습니다.

남은 함수들은 "버전 공간"으로 알려져 있으며, 이후 섹션에서 이 개념을 더 자세히 살펴보겠습니다. 제시된 훈련 세트의 고유한 패턴 수에 따라, 아직 제외되지 않은 가설의 수를 나타내는 그래프는 추가적인 훈련 세트 멤버를 제시할 때 결국 다음 예시에서 나타난 것과 유사할 것입니다. 프로세스 중 언제든지, 현재 본 패턴에 대해 아직 보지 못한 어떤 훈련 패턴에 대해서도 남아 있는 부울 함수의 절반만이 값이 있을 것이며, 다른 절반은 값이 0일 것입니다. 훈련 패턴이 아직 관측되지 않은 패턴의 값을 알려주지 않기 때문에, 이 실험의 결과를 일반화하는 방법은 없습니다. 이 환경에서 가능한 유일한 학습 방법은 외우는 것이며, 이것은 매우 기본적인 형태의 학습입니다.

이 편향이 학습 과정에 어떻게 도움이 되는지 더 잘 이해하기 위해, 이 개념을 구체적인 예시로 살펴보겠습니다. 부울 함수를 수학적으로 표현하는 한 가지 방법은 각 정점이 다른 입력 패턴을 나타내는 초입체로 나타내는 것입니다. 여기서 우리는 여섯 가지 예제 패턴으로 구성된 훈련 세트를 제공했으며, 어떤 것이 1 값을 가지는지 작은 정사각형으로, 어떤 것이 0 값을 가지는지 작은 원으로 표시했습니다. 가설 집합에 포함된 유일한 함수가 선형으로 나눌 수 있는 함수인 경우, 훈련 세트와 호환되는 유일한 함수가 있을 것입니다.

이 경우에도, 훈련 세트에 모든 가능한 패턴이 포함되지 않더라도, 편향을 통해 어떤 함수가 되어야 하는지 결론을 내릴 수 있습니다. 절대 편향과 선호 편향은 기계학습 분야에서 연구자들이 식별한 두 가지 기본적인 편향 형태입니다. 절대 편향은 H가 특정 부분 집합으로 제한되는 유형의 편향입니다. 반면, 선호 편향은 어떤 형태의 순위 체계를 기반으로 가장 간단한 가설을 선택하는 경우입니다.

예를 들어, 여러분들이 어떤 챕터의 복잡성을 측정할 수 있는 방법이 있다면, 훈련 세트에 포함된 챕터 중 가장 간단한 것을 선택할 것입니다. 이것이 바로 "오큼의 면도날" 원칙으로, 과학자들에게 복잡한 해결책보다 간단한 해결책을 선택하도록 전문가들은 권장합니다.

## 9장. 맺음말

이 책에서는 우리는 고차원 특징 공간에서의 학습, 특히 서포트 벡터 머신(SVM)과 확률적 경사 하강(SGD) 방법을 중심으로 한 머신러닝의 핵심 개념들을 탐구했습니다. 이 과정에서 우리는 데이터의 복잡성과 차원의 중요성, 그리고 이러한 요소들이 학습 알고리즘의 선택과 성능에 어떻게 영향을 미치는지를 살펴보았습니다.

머신러닝에서의 핵심 도전 과제 중 하나는 고차원 데이터를 효과적으로 처리하고 이해할 수 있는 모델을 개발하는 것입니다. SVM과 SGD는 이러한 도전에 대응하기 위해 개발된 강력한 도구들입니다. SVM은 큰 마진을 가진 분리기를 찾음으로써 샘플의 복잡성 문제를 해결하려 시도합니다. 이 접근법은 데이터를 분리하는 데 있어서의 강력함과 함께, 고차원 공간에서도 효과적으로 작동할 수 있는 능력을 보여줍니다.

한편, SGD는 최적화 문제를 해결하기 위한 반복적 접근법을 제공합니다. 이 방법은 특히 대규모 데이터 세트를 다룰 때 유용하며, 복잡한 최적화 문제를 효율적으로 해결할 수 있는 방법을 제공합니다. SGD의 유연성은 다양한 문제 설정에서 그 가치를 발휘하며, 머신러닝 모델의 학습 과정을 가속화하는 데 큰 도움이 됩니다.

이 책을 통해 우리는 머신러닝의 다양한 측면과 핵심 개념들을 탐구했습니다. 데이터의 차원, 학습 알고리즘의 선택, 그리고 이러한 요소들이 모델의 성능에 미치는 영향에 대한 이해는 머신러닝을 효과적으로 활용하는 데 필수적입니다. 또한, 복잡한 데이터 세트를 처리하고 해석하는 능력은 머신러닝 분야에서 지속적으로 중요해지고 있습니다.

마지막으로, 이 책은 머신러닝 분야에 대한 깊은 통찰력과 함께, 실제 문제를 해결하기 위한 실용적인 도구와 기법을 제공합니다. SVM과 SGD와 같은 알고리즘은 머신러닝의 강력한 능력을 보여주며, 이 분야의 지속적인 발전과 혁신을 위한 기반을 마련합니다. 머신러닝은 계속해서 우리의 삶과 사회에 깊은 영향을 미치며, 이 책이 그 여정에 도움이 되기를 바랍니다.